海外漢文古醫籍精選叢書·第三輯

2011—2020年國家古籍整理出版規劃項目
2018年度國家古籍整理出版專項經費資助項目
中國中醫科學院「十三五」第一批重點領域科研項目
——我國與「一帶一路」九國醫藥交流史研究（ZZ10-011-1）

蕭永芝◎主編

藥籠本草 貳

〔日〕香月牛山 撰

19

北京科學技術出版社

海外漢文古醫籍精選叢書・第三輯

藥籠本草 貳

〔日〕香月牛山 撰

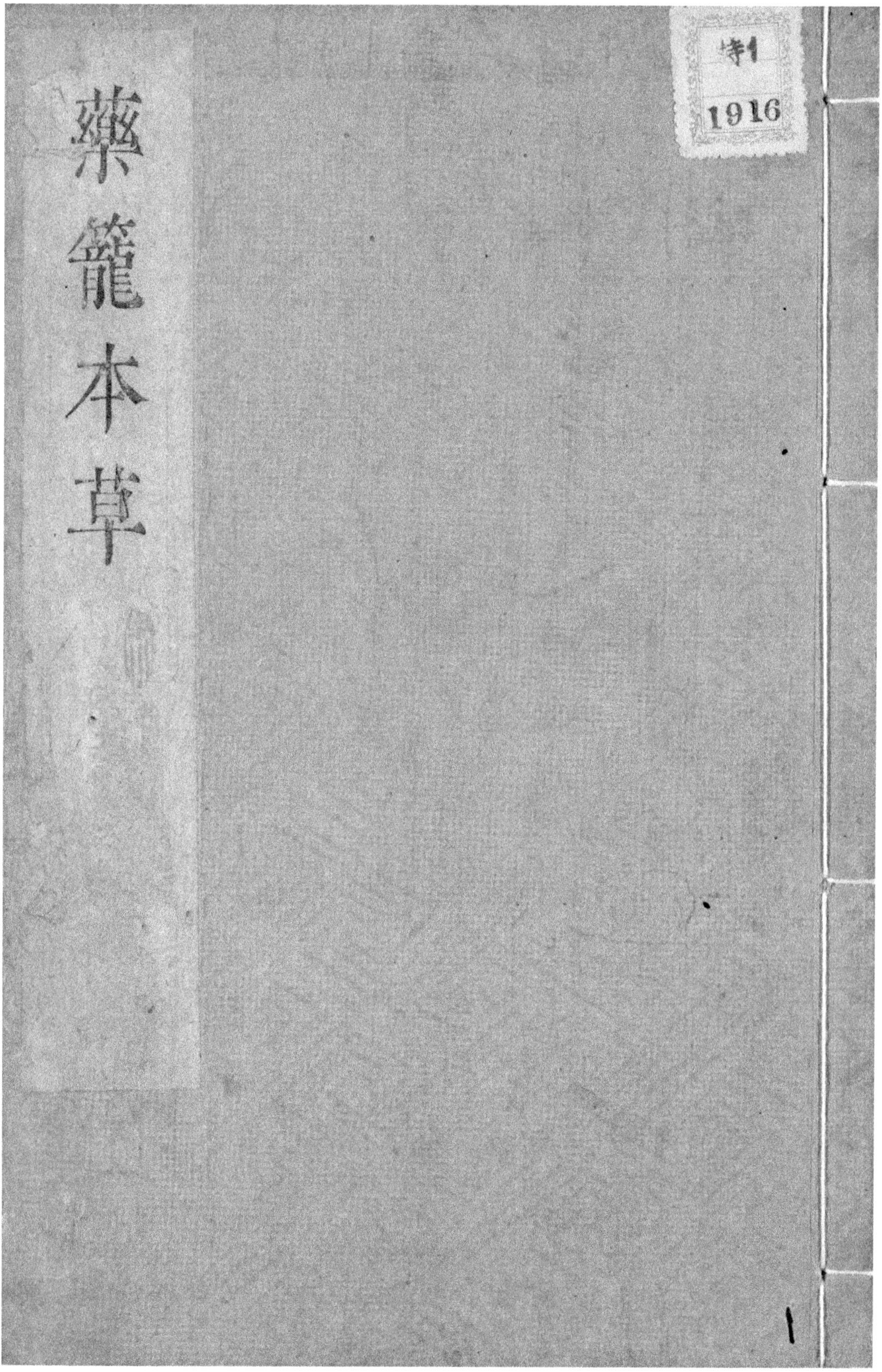

藥籠本草

藥籠本草卷之中　末

香附子　別録中品

別録曰甘微寒無毒○元素曰甘苦氣厚於味陽中之陰血中之氣藥○薛己曰苦辛氣温無毒陰中之陽可升可降入手太陰足陽明厥陰烏藥爲之使○時珍曰辛微苦甘平足厥陰手少陽藥也能兼行十二經八脉氣分得童便醋芎藭蒼朮良

別録曰除胸中熱充皮毛久服益氣長鬚眉○蘇頌曰治腹中客熱膀胱間連脇下氣妨常日憂愁不樂心忪

少氣◯東垣曰治一切氣霍亂吐瀉腹痛腎氣膀胱冷
氣◯時珍曰散時氣寒疫利三焦治脚氣◯好古曰本
草不言治崩漏而方中用治崩漏是能益氣而止血也
又能逐去瘀血是推陳也正如巴豆治大便不通而又
止泄瀉同意又云陽中之陰血中之氣藥凡氣欝血欝
必用之炒黒能止血治崩漏此婦人之仙藥也多服亦
能走氣◯薛己曰誠非血虛崩漏所宜亦以氣欝血瘀
淋瀝不止者此能疏之瘀血去而新血自生矣此謂益
氣而止血也要之止血之功居多而逐血之功居少破

氣之功居多而益氣之功居少女子大抵氣多血少用之消氣止血爲最耳◯仲淳曰益血不自行隨氣而行氣逆而欝則血亦凝澀氣隨則血亦從之而和暢此女人崩漏帶下月事不調之病所以咸須之耳◯薛己曰婦人心性偏執每多欝滯所謂多氣少血者此也此藥能疏氣散欝氣疏欝散新血生而百體和矣◯丹溪曰凡血氣必用之藥引至氣分而生血此正陽生陰長之義也本草不言補而方家言於老人有益意有存焉蓋於行中有補理天之所以爲天者健而有常也健運

不息所以生生無窮即此理爾今即香中用之○韓悉曰能推陳致新故諸書皆云益氣而俗有耗氣之說宜于婦人不宜于男子者非矣蓋婦人以血用事氣行則無病老人精枯血閉惟氣是資小兒氣日充則形日固大凡病則氣滯而餒香附於氣分爲君藥臣以參茋佐以甘草治虛怯甚速也○時珍曰得參朮則補氣得歸苄則補血得木香則流滯和中得檀香則理氣醒脾得沉香則升降諸氣得川芎蒼朮則總解諸鬱得梔子黄連則能降火熱得茯神則交濟心腎得茴香補骨脂則

引氣歸元得厚朴半夏則決壅消脹得紫蘇葱白則解
邪氣得三稜莪朮則消磨積塊得艾葉則治血氣暖子
宮乃氣病之總司女科之主帥也◯本草新編曰香附
之解鬱正取其燥也惟燥故易入于燥之中惟燥故不
可單用于燥之内和之以歸芎則燥中有潤而肝舒燥
中不燥而解鬱也◯又曰香附非補藥用之下氣以推
陳非用之下氣以生新血引血藥至氣分而散鬱非引
血藥入氣分而生血也舍氣血之味欲其陰生陽長得
乎故氣宜補必用参芪血少宜生必須歸芐香附不過

調和于其內參贊之寮佐而輕任之爲大將鮮不敗乃事矣○薛己曰火燥少血之人并新產氣耗之婦亦可禁服○本草徵要曰獨用久則反能耗血○仲淳曰凡月事先期者血熱也法當凉血禁用此藥誤犯則愆先期也

薛己曰專主發散是以用酒炒收斂其氣用童便製降其燥性○時珍曰生則上行胸膈外達皮膚熟則下走肝腎外徹腰足炒黑則止血童便浸炒則入血分而補虛鹽水浸炒則入血分而潤燥青鹽炒則補腎氣酒浸

炒則行經絡醋浸炒則消積聚薑汁炒則化痰飮○雷斅曰凡采得陰乾石臼搗之爲末用之切忌鐵器

山樝子 唐本草

唐本草曰酸冷無毒○時珍曰酸甘微溫○薛己曰甘氣平無毒陽也入足陽明太陰經

唐本草曰止水痢洗瘡癢○弘景曰洗漆瘡○蘇頌曰治腰痛○吳瑞曰消食積補脾治小腸疝氣發小兒瘡疹○丹溪曰健胃行結氣兒枕痛砂糖酒服立効○甯原曰化血塊氣塊活血○薛己曰化滯血無推蕩之害

用泄痢止已成之積能疏肝氣在小兒尤為要藥○嘉謨曰敲膨脹○簡便方曰消肉食○本草彙言曰治男婦小兒一切腹痛○百一選方曰與艾葉同治腸風下血○時珍曰治癥瘕痰飲痞滿吞酸凡脾弱食不化胸腹酸刺脹悶者於每夜食後嚼二三枚絕佳不可多用恐反尅伐也按物類相感志言煮老雞硬肉入山樝數顆即易爛則其消肉積之功益可推矣珍隣家一小兒因食積黃腫如鼓偶往羊机樹下取食之至飽歸而大吐痰水其病愈羊机乃山樝同類醫家不用而有此効

則其功應相同矣○本草徵要曰行乳食之滯且去腥羶油膩之積與麥芽之消穀積者不同○仲淳曰大抵其功長於化飲食健脾胃行結氣消瘀血故小兒產婦宜多食之本經誤認為冷故有洗瘡癢之用○丹溪曰大能尅化飲食胃中無食積脾虛不能運化不思食者多服之則反尅化脾胃生發之氣○時珍曰生食多令人嘈煩易飢損齒齲人尤不宜也○全幼心鑑曰治痘瘡乾黒危困者山楂為末紫草煎湯加酒少許調服

○啓益按山楂解痘毒不載本草故古方多不用之元

明之醫往往用之就中聶久吾之治方中必用之益小兒之病多兼食積山樝之性功一治痘毒一治食滯是以治痘疹必用之有神効○啓益常治癩癇病山樝一錢五分橄欖八分水煎服每日一貼數月之後奏其効如神蓋此二物共解肉毒散諸滯破堅積去痰飲如癩癇病屬鬱積痰滯用二物以消導脾胃之痰滯解散臟府之鬱積則其病自愈雖不載諸本草百發百中之妙不可言也再加之以牛膽南星有奇効○

時珍曰九月霜後取帶熟者去核晒乾蒸熟去皮核搗

作餅子日乾用

啓益　按山樝　本邦處處有之藝園家栽而販之花實可愛其實小而肉薄不若清來者爲良

烏藥　開寶本草

藏器曰辛温無毒○好古曰氣厚於味陽也入足陽明少陰經○薛己曰味辛而薄性輕熱而散氣勝于味

藏器曰主中惡心腹痛蠱毒疰忤鬼氣宿食不消天行疫瘴膀胱腎間冷氣攻衝背膂婦人血氣小兒諸蟲○大明曰除一切冷霍亂反胃吐食瀉痢癰癤疥癘并解

冷熱猶大百病並可磨服◯好古曰理元氣◯孫真人
曰治慢驚◯經驗方曰利咽喉◯嘉謨曰消食積作脹
縮小便解蠱毒療卒中◯薛己曰行中焦滯氣之抑遏
散下焦冷氣之攻衝◯宗奭曰性和不甚剛猛同沉香
治胸腹冷氣◯濟世方曰同川芎治氣厥及產後頭痛
◯永類鈐方曰治脚氣掣痛◯本草彙言曰與香附三
稜莪朮玄胡索同治婦人無故血閉血瘕血塊◯東垣
曰與香附當歸木香同治婦人血海疼痛不可忍者◯
啓益按有婦人經行之期必疼痛不可忍呼號動隣者

用前方加川芎紅花立効○時珍曰辛温香竄能散諸氣故局方治中風中氣諸症用烏藥順氣散者先疎其氣氣順則風散也濟生方治七情欝結上氣喘急與人参沉香檳榔名四磨湯此降中兼升瀉中帯補集驗方治虚寒小便頻數與益智名縮泉丸取其通陽明胃少陰腎經也○薛已曰用于風藥則能疏風用于脹滿則能降氣用于氣阻則能發散佐香附子專治婦人諸般氣症香附治内内和而外自釋也烏藥疎散宣通其尤暢于香附也○仲淳曰世人多以香附同用治女人一

切氣病不知氣有虛實寒熱冷氣暴氣用之固宜如氣虛氣熱用之能無貽悞耶故婦人月事先期小便短赤及咳嗽內熱口乾舌苦不得眠一切陰虛內熱之病皆不宜服○薛己曰味薄無滋益人但取香散散凝滯而已不可多用

啓益按凡使去皮剉而生用或浸酒一宿炒用散氣活血能治下焦之冷氣

蘇頌曰根有二種嶺南者黑褐色而堅硬天台者白而虛輭並如車轂紋形如連珠者佳○藏器曰直根者不

避用○啓益　按清來者有兩種和俗稱九九里即連珠烏藥其不連珠者是鈎樟根也勿用

三稜　開寶本草

開寶曰苦平無毒○元素曰苦甘陰中之陽○嘉謨曰辛苦○薛己曰可升可降入足太陰經

開寶曰治老癖癥瘕結塊産後惡血血塊通月經墮胎止痛利氣○王壽曰洗奶下乳汁○大明曰治氣脹破積氣消撲損瘀血婦人血脉不調心腹痛産後腹痛血運○元素曰治心膈痛飲食不消○聖濟總録曰同丁

子則治反胃惡心○千金方曰與川椒烏梅巴豆同為丸治蟲疾腹痛脹滿如鼓内有蟲者○好古曰色白屬金破血中氣肝經血分藥也治積塊癥硬者乃堅者削之也莪蒁亦然矣○馬志曰昔有人患癖死者遺言開腹取視得病塊堅如石文理五色人謂異物竊作刀柄後以刀刈三稜柄消為水故治癖多用焉○東垣曰三稜莪朮倶治瘰癧癥硬甚者如不堅硬者勿用○仲淳曰三稜莪朮倶能瀉真氣虚者勿用凡用以消導必資參芪歸朮芍藥之力而後可以無弊觀東垣氏五積方皆

有人參意可知蓋積聚癖癥必由元氣不足不能運化脾胃氣旺則漸漸消磨解化以收平復之功如秪一味專用尅削則脾胃之氣愈弱後天之氣益虧將見故疾未去新病復至矣可不慎哉○得効方曰治渾身燎泡如棠梨狀每箇出水有石一片如指甲大其泡復生抽盡肌膚肉即不可治三稜莪朮為末酒調連進愈○啓益嚮歲仕于　中津侯在于東豐之日見一土民之病似前症者年四十餘遍身生燎泡皮膚鱗甲痒而不可忍搔之則破爛出水瘡中有努肉一片非石非肉飲食

如常無餘苦用前方加連翹為末服之半月而弩肉變膿頻服两月而全愈偶因相同以記此為證矣

元素曰凡使須炮熟○時珍曰消積用醋浸一日炒或煮熟入藥良

馬志曰黄色體重形如鯽魚而小者良○蘇頌曰草三稜形如雞爪屈曲根上生根石三稜色黄體重堅硬如石總消積氣主治相同○ 啓益按三稜根狀圓而有鬚毛者真也形扁而成片者芡蒲根也 本邦處處有之此物種類頗多相似易混可擇用

莪茂 開寶本草

開寶曰苦辛温無毒○薛已曰味辛甘陽中之陰可升可降入足陽明

開寶曰治心腹痛中惡疰忤鬼氣霍亂冷氣吐酸水解毒食飲不消又療婦人血氣丈夫奔豚○甄權曰破痃癖○大明曰治一切氣開胃消食通月經消瘀血止撲損痛下血及内損惡血○薛已曰治小兒食積○保生方曰治上氣喘急○蘇頌曰治積聚為要藥與三稜功用相同但破血中氣氣中血為少異耳○好古曰通肝

經聚血色黑屬血分破氣中之血入氣藥發諸香雖為
泄劑亦能益氣故孫尚藥用治氣短不接續及大小七
香丸集香丸諸湯散多用此也○時珍曰鬱金入心專
治血分之病薑黃入脾兼治血中之氣莪朮入肝治氣
中之血稍為不同○仲淳曰虛人服之積不去而真氣
既竭或與健脾補元之藥同用乃無損耳
甄權曰用酒醋炒治冷氣○時珍曰以醋炒或煮熟入
藥取其入血分也○啓益按三稜莪朮製法多用醋益
二藥磨積之劑假酸束收則止而軟堅然婦人及虛弱

人不堪酸臭却發嘔吐須因其病與其人焙用佳也

啓益按莪朮薑黃欝金三物其形狀大同而少異莪朮其葉粗澁無光澤根色帶青黃　本邦産者極小塊清來者為良

神麴　藥性論

藥性論曰甘辛温無毒○嘉謨曰味甘氣平○元素曰陽中之陽入足陽明○薛己曰可升可降入足太陰

藥性論曰化水穀宿食癥瘕積滯健脾暖胃○元素曰養胃氣治赤白痢○孫真人曰治産後運絶○好古曰

療藏府中風氣調中下氣開胃主霍亂心膈氣痰逆除煩及補虛去冷氣除腸胃中塞不下食令人好顏色落胎下鬼胎又能治小兒腹堅大如盤胸中滿胎動不安或腰痛愴心下血不止火炒以助天五之氣◯時珍曰燒紅淬酒治閃挫腰痛又研酒能回乳◯倪維德啓微集曰治目病生用能發其生氣熟用能斂其暴氣◯薛已曰消食化滯與麥芽同益胃調中優于麥芽◯仲淳曰脾陰虛胃火盛者勿用又能損孕

元素曰凡用須炒黃以助土氣陳久者良

葉氏水雲録曰用白麪合青蒿蒼耳野蓼赤小豆杏仁為麴以配六神盖六月六日造之者取諸神聚會之日故得神名今之賣家既不依法又不按日何得取効乎

麥蘖 別録中品

別録曰鹹温無毒○好古曰豆蔻縮砂烏梅木瓜芍藥五味子為之使

別録曰主消食和中○藥性論曰破冷氣去心腹脹滿○日華曰開胃止霍亂除煩悶破癥結消痰飲催生落胎○元素曰補脾胃虚寛腸下氣腹鳴者用之○時珍

曰消化一切米麪諸果食積○肘後方曰與山椒乾薑同治穀勞病○丹溪曰治産婦無子食乳乳不消令人發熱惡寒亦能回乳○仲淳曰功用與米蘖相同而此消化之力更緊鹹能軟堅溫主通行其發生之氣又能助胃氣上升行陽道而資健運故主開胃補脾消化水穀及一切結積冷氣脹滿○好古曰麥芽神麴二味胃氣虛人勿服○仲淳曰久服消腎氣墮胎按米芽稻芽粟芽大抵功用相同共啓脾進食

天麻 本經上品

本經曰辛溫無毒◯甄權曰甘平◯大明曰浮而升陽也入足厥陰經◯好古曰苦陰中陽也◯薛己曰入足太陽經

本經曰赤箭殺鬼精物蠱毒惡氣久服益氣力長陰肥健◯別錄曰赤箭輕身增年消癰腫下支滿寒疝下血◯開寶曰主諸風濕痺四肢拘攣小兒風癇驚氣利腰膝強筋力◯甄權曰治冷氣瘴痺攤緩不隨語多恍惚善驚失志◯大明曰助陽氣補五勞七傷鬼疰通血脉開竅◯鄧才雜興方曰固精◯元素曰治風虛眩運頭

痛○衛生易簡方曰與半夏細辛熨腰脚疼痛○東垣曰肝虛不足者宜天麻川芎以補之其用有四療大人風熱頭痛小兒風癇驚悸諸風麻痺不仁風熱言語不遂又曰眼黑頭旋乃風虛内作非天麻不能除其苗名定風草獨不為風所動乃治内風之驗也○時珍曰今有久服天麻藥遍身發出紅丹者是其祛風之驗也○蕭京曰何嘗治風尚為足少陰腎經滋補之劑味東垣所謂風虛内作四字可知本虧致病補助力優豈羌活防風獨活荊芥諸辛燥傷陰之物所能比擬萬一哉余

每用以療產後諸虛劇症及遺精失血與挾虛傷寒頭痛往往奏奇世人奈何僅以風藥目之是未悉乎天造地化萬物得氣之粹者之蘊矣◯宗奭曰須別藥相佐使然後見効◯仲淳曰治一人好嗜燒酒飲食少進卒然眩暈不能起坐此中氣虛而酒熱上升也配白朮佐人參黃連甘草一劑即定◯又曰津液衰少口乾舌燥作痛大便閉澀病火炎頭暈血虛頭痛及南方似中風皆禁用

薛己曰凡用以濕紙包煨用◯時珍曰用蒺藜子熬焦

蓋於天麻製是雷斅治風痹修事也若治肝經風虚惟煨熟酒浸焙乾用○啓益按如酒製茸滑而滯泥常用因薛已之説包濕紙三重於糠火中煨熟日乾用

啓益謂甄權曰赤箭芝一名天麻時珍曰本經有赤箭後人稱為天麻然蘇頌蘇恭宗奭陳承汪機嘉謨薛已仲淳輩皆謂赤箭天麻本一物分根苗而異功用蓋二説不同今詳之本經明謂赤箭採根暴乾故別録亦稱赤箭而不稱天麻沈活亦曰古方用天麻者不用赤箭用赤箭者即無天麻本一物並合用根也以是視之則

宜因甄權時珍二氏之説而為一物如馬志不解此義
重修本草別出於天麻一目遂為二物者誤矣

蔓荊子　本經上品

本經曰苦微寒無毒○別録曰辛平温○元素曰氣清
味辛陽中之陰入足太陽經○仲淳曰氣清味薄浮而
升陽也又入足厥陰兼入足陽明經○嘉謨曰防風為
之使○之才曰惡烏頭石膏
本經曰治筋骨間寒熱濕痺拘攣明目堅齒利九竅去
白蟲久服輕身耐老○別録曰治頭痛腦鳴目淚出益

氣令人光澤脂緻○甄權曰治賊風○大明曰利關節治癲疾赤目○元素曰太陽頭痛沈昏悶除昏暗散風邪凉諸經血止目睛内痛○好古曰搜肝風○聖惠方曰佐川芎白芷細辛辛夷末擦治齒牙攻痛因風火寒濕者又曰與熊脂米醋調塗令髮長黑○危亦林曰治乳癰初起傳服並佳○戴仙方曰得栢實青葙治頭風○薛己曰治諸經血熱風淫所致者此能凉之散之則諸風悉去矣要之清頭目風邪爲的藥也○元素曰胃虚人勿服恐生痰疾○仲淳曰頭目痛不因風邪而由

於血虛有火者忌之

啓益　按凡使微炒而去蒂及白膜細切用

貝母　本經 中品

本經曰辛平無毒○別錄曰苦微寒○蘇恭曰甘苦不辛○薛己曰陽中微陰可升可降入手太陰足少陰足少陽○之才曰厚朴白薇一作白歛爲之使惡桃花畏秦艽莽草礬石反烏頭

本經曰治傷寒煩熱淋瀝邪氣疝瘕喉痺乳難金瘡風痓○別錄曰療腹中結實心下滿洗洗惡風寒目眩項

直咳嗽上氣止煩熱渴出汗安五藏利骨髓◯弘景曰不飢斷穀◯大明曰消痰潤心肺◯甄權曰主脇胸逆氣時疾黃疸◯陳承曰能散心胸鬱結之氣◯普濟方曰治衂血◯聖惠方曰與蜜同治吐血與百部同搽鵞口瘡與薑汁同搽癜瘢◯甄權曰酒服治產難及胞衣不出與連翹同主瘰癧瘤癭◯直指方曰酒服治乳難乳癰初發又治蛇蠍及毒蟲咬傷◯好古曰仲景治寒實結胸製小陷胸湯以栝樓子黃連輔斯作主◯汪機曰俗以半夏有毒用貝母代之夫貝母乃大陰肺經之

藥何可以代若虛勞咳嗽吐血肺痿肺癰婦人乳難癰疽及諸鬱症皆貝母為專司半夏乃禁用至於脾胃濕熱涎化生火痰火上攻昏憒僵仆謇濇諸症生死旦夕自非半夏南星曷可治乎若以貝母代之則束手待斃矣○景岳全書曰半夏用其温貝母用其凉半夏性速貝母性緩半夏散寒貝母清熱性味陰陽大不同俗有代用者其謬甚○蘇頌曰足生人面瘡及惡瘡燒灰油敷收口○本草新編曰貝母療人面瘡久不得其故後遇岐天師于燕市另傳治法而後悟貝母療人面瘡也

亦消其痰而已矣怪病多起于痰貝母消痰故能愈如半夏亦消痰聖藥何治人面瘡無効不知人面瘡熱痰結成熱毒半夏性燥以治熱更添熱矣貝母治熱痰聖藥以寒治熱而熱毒自消

雷斆曰凡使於柳木灰中炮黄去心拌糯米炒用若獨顆不能兩片者名丹龍眼不可入藥誤服令人筋脉永不收藍汁黄精合飲即解◯啓益按常用擇黄白輕鬆者去心一顆拌生薑汁日乾微炒佳

天南星 本經下品

本經曰苦温有大毒○別録曰微寒○大明曰辛烈平○東垣曰苦辛有毒陰中之陽可升可降乃肺經之本藥○薛己曰入足太陰經○之才曰蜀漆為之使惡莽草○大明曰畏附子乾薑生薑○丹溪曰欲其下行以黄蘗引之○時珍曰得防風則不麻得牛膽則不燥得火炮則不毒生能伏雄黄丹砂焰硝

本經曰治心痛寒熱結氣積聚伏梁傷筋痿拘緩利水道○別録曰除陰下濕風眩○甄權曰主疝瘕腸痛傷寒時疾強陰○開寶曰主中風麻痺除痰下氣利胸膈

攻堅積消癰腫散血墮胎○元素曰去上焦痰及眩暈○東垣曰主破傷風口噤身強○好古曰補肝風虛○衛生寶鑑曰治風癇痰逆○楊氏家藏方曰解酒毒○楊士瀛曰佐人參石菖蒲治諸風口噤○勝金方曰治吐血○普濟方曰與石灰治腸風瀉血○經驗方曰與雄黃麝香治走馬疳蝕○仁存方曰治中風口眼喎斜爲末左貼右右貼左又與龍腦麝香揩齒牙治中風口噤目瞑○錢乙曰醋調貼顖門炙手熨之治解顱○嚴子禮方曰醋調貼痰腫瘤疣○時珍曰味辛而麻故能

治風散血氣温而燥故能勝濕除涎性緊而毒故能攻積拔腫而治口喎舌麻○仲淳曰爲風寒鬱於肺家以致風痰壅盛之要藥也與半夏性同而毒則過之半夏治濕痰多南星治風痰多是其異矣二藥大都相類故其所忌亦同非西北人眞中風者勿用

蘇頌曰凡使湯浸洗去涎暴乾火炮用○時珍曰造星麴法以薑汁礬湯和星末作小餅子安籃内楮葉包待上黄衣乃取晒收之造膽星法以南星研末臘月取黄牯牛膽汁和劑納入膽中繫懸風處乾之年久者彌佳

○啓益 按常用宜細切拌薑汁日乾微妙用之造膽星法如時珍之言則歷數月而不能乾腥臭氣存而病人不任服今詳之則臘月用大天南星切片和合膽汁待膽氣透片星而盛于布袋壓之一周時黄汁流出後取出繫懸風處晒乾則腥臭氣去而宜藥用

天門冬 本經上品

本經曰苦平無毒○別録曰甘大寒○好古曰氣寒味微苦而辛氣薄味厚陽中之陰入手太陰足少陰經○薛己曰陰也降也入足厥陰經○之才曰垣衣貝母地

黄為之使畏曾青○損之曰忌鯉魚制雄黄硇砂
本經曰諸暴風濕偏痺強骨髓殺三蟲去伏尸久服輕
身益氣延年不飢○別録曰保定肺氣去寒熱養肌膚
利小便冷而能補○甄權曰肺氣咳逆喘息促急肺痿
生癰吐膿除熱通腎氣止消渴去熱中風治濕疥宜久
服煮食之令人肌體滑澤白淨除身上一切惡氣不潔
之疾五虚而熱者宜加用之○大明曰鎮心潤五臓補
五勞七傷吐血治嗽消痰去風熱煩悶○好古曰主心
病嗌乾心痛渴不欲飲痿蹷嗜臥足下熱而痛○王燾

曰治風癩○孫真人曰陽事不起宜常服之又治虛勞
體痛○吳球曰配烏藥治小腸偏墜○外科精義曰與
麥門冬玄參同和蜜治口瘡連年不愈者○元素曰苦
泄滯血耳助元氣及治血妄行保定肺氣治血熱侵肺
上氣喘息宜加人參黃芪為主用之○好古曰榮衛枯
涸濕劑所以潤之二門冬人參北五味枸杞子同為生
脉之劑此上焦獨取寸口之意○趙繼宗曰天門冬以
地黃為使服之令人頭不白補髓通腎氣定喘促令人
肌體滑澤除身上一切惡氣不潔之疾蓋有君而有使

也若有君無使是獨行無功矣○啓益按本草綱目以趙繼宗之説附麥門冬之條天門作麥門考儒醫精要則正為天門又考甄權之説天門冷而能補和地黄為使服之柰老頭不白以是視之則時珍之誤也必矣今移而附此條○仲淳曰除肺腎虚熱之要藥也久服輕身延年益氣不飢者熱退則水足水足則精固精固則腎氣益實腎為先天之真氣腎實骨強延齡可知道書所録皆指遺世獨立辟穀服餌之流者設非謂恒人亦可望此也○本草新編曰世人謂天門冬善消虚熱吾

以為此說不可不辨天門冬止可瀉實火之人也虛寒最忌而虛熱亦宜忌之蓋虛熱未有不胃虛者也胃虛而又加損胃之藥胃氣有不消亡者乎胃傷而傳之脾則亦受傷脾胃兩傷上不能受水穀而下不能化糟粕矣又何望其補哉大約天門冬凡腎水虧而腎火炎上者可權用之以解氛腎火寒而腎水又弱者斷不可久用之以滋陰也又曰或問天門同地黃用之可以烏鬚髮此久治之法以滋腎者而吾子謂天冬止宜瀉實火之人豈烏鬚髮而亦可謂實火耶夫鬚髮早白雖由于

腎水之不足亦因于腎火之有餘也夫火之有餘既因于水之不足則寒涼以補水正寒涼以瀉火也況天冬與地黃同用則天冬之涼者不涼腎得其滋補之益而鬚髮之焦枯者有不反黑者哉然則天冬之烏鬚髮仍瀉實火而非瀉虛火矣○又曰或疑天冬性雖寒以砂糖蜜水煮透全無苦味則寒性盡矣不識有益陰虛火動之病乎夫天門冬之退陰火正取其味苦澁也若將苦澁之味盡去亦復何益或慮其過寒少去其苦澁而加入細節甘草同糖蜜共製庶以之治陰虛咳嗽兩有

所宜乎○嘉謨曰天麥二冬並入手太陰驅煩解渴止咳消痰而麥門兼行手少陰清心降火使肺不犯賊邪故止欬立効天門冬復走足少陰滋腎助元全其母氣故清痰殊効蓋痰係津液凝成腎司津液者也燥盛則凝潤多則化天門冬潤劑且復走腎經津液縱凝亦能化解麥門冬雖藥劑滋潤則一奈經絡兼行相殊故上而止嗽不勝麥門冬下而消痰必讓於天門冬爾先哲亦曰痰之標在脾痰之本在腎○薛已曰若治肺虚勞咳又不如麥門之補也或兼之可也○宗奭曰虚熱者

加用正宜虛寒者切莫服因專泄不能專收故也
雷斅曰采得去皮心用柳木甑及柳木柴蒸一伏時酒
酒令遍更添火蒸晒乾用◯啓益按采根浸米泔水一
宿去皮心蒸之細切曝乾用之如雷斅之法則泥膩斟
酌用之

麥門冬 本經上品

本經曰甘平無毒◯別錄曰微寒◯李當之曰小溫◯
東垣曰甘微苦微寒陽中微陰降也入手太陰經氣分
藥◯嘉謨曰兼入手少陰經◯仲淳曰足陽明之正藥

○之才曰地黃車前爲之使惡款冬苦瓠苦芙苦參青
蘘木耳伏石鍾乳
本經曰主心腹結氣傷中傷腸胃絡脉絶羸痩短氣久
服輕身不老不飢○別録曰療身重目黃心下支滿虚
勞客熱口乾煩渇止嘔吐愈痿蹷強陰益精消穀調中
保神定肺氣安五藏令人肥健美顔色有子○藏器曰
去心熱止煩熱寒熱體勞下痰飲明目○大明曰治五
勞七傷安魂止嗽定肺痿吐膿時疾熱狂頭痛○甄權
曰治熱毒大水面目肢節浮腫下水主泄精○本草徵

要曰與石膏知母竹葉治陽明瘧疾○保命集曰與生地治衄血○海上方曰與黃連治消渴○熊氏補遺曰與犀角通乳汁○趙繼宗曰火盛氣壯之人服之相宜若氣弱胃寒人必不可餌也○本草新編曰或問麥冬但聞可以內治成功未知亦可以治外症乎曰麥冬之功効實于內治獨神然又能治湯火世人固不識也凡遇熱湯滾水泡爛皮肉疼痛呼號者用麥冬半觔煮汁二碗用鵞翎掃之隨掃隨乾隨乾隨掃少頃即止痛生肌神効之極誰謂麥冬無外治哉○啓益按寶永戊子歲三

月火于京及二十萬余家火傷之人數百用前方治之其効如神泡爛乾後敷天花葛粉黄蘗末不待數日而平復求治者門前繼踵○宗奭曰治肺熱之功將多治心肺虚熱及虚勞與地黄阿膠麻仁同為潤經益血復脉通心之劑與五味子枸杞子同為生脉之劑○本草徵要曰稟秋金之微寒得西方之正色故清肺多功心火焦煩如盛暑秋風一至炎蒸若失矣○東垣曰六七月間濕熱方旺人病骨乏無力身重氣短頭旋眼黒甚則痿軟故孫真人以生脉散補其天元真氣脉者人之元

氣也人參之苦寒瀉熱火而益元氣麥門冬之苦寒滋燥金而清水源五味子之酸温瀉丙火而補庚金兼益五藏之氣也○本草新編曰或問麥冬以安肺氣救肺即可生腎子矣何以補肺者仍須補腎乎曰肺腎之氣未嘗不兩相須也肺之氣夜必歸于腎腎之氣晝必升于肺麥冬安肺肺氣可交于腎而腎無所補則腎仍來取給于母而肺仍不安矣此所以補肺母者必須補腎子也腎水一足不取濟于肺金之氣則肺氣自安且能生水而肺更安也麥冬止可益肺不能益腎古人所以

用麥冬必加入五味子非取其歛肺正取其補腎也或問麥冬加五味以補腎敬聞命矣何孫真人加人參為生脉散吾子善辨幸明以教我此則子不下問鐸亦亟欲闡明之也夫肺主氣也人參補氣湯名補氣誰曰不然而孫真人不言生氣而言生脉者原有秘旨心主脉是生脉者生心之謂也或疑心主火而肺主金生心火必至尅肺金矣益氣之謂何而詎知心之子乃胃土也肺金非胃土不生胃弱以致肺金之弱補心火自生胃土矣胃土一生而肺金之氣自旺又恐補心以尅肺

金加麥門以清肺則肺不畏火之炎加五味以補心之妙不必畏心之刑金也所以不言生氣而曰生脉者其意微矣人未之思爾○趙繼宗曰和車前子熟地黄為使服之補肺氣心氣各不足及治肺中伏熱脉氣欲絶強陰秘精去濕痺變白明目夜中見光蓋有君有使也若有君無使是獨行無功矣

弘景曰凡用抽心去不爾令人煩○時珍曰以滚水潤少頃抽心去或以瓦焙軟乘熱去心或入滋補藥則酒浸擂之

五味子 本經上品

本經曰酸溫無毒◯好古曰酸微苦鹹味厚氣輕陰中微陽入手太陰足少陰氣分◯嘉謨曰陽中微陰降也蓋皮甘肉酸核中辛苦兼鹹味故名五味子◯之才曰蓯蓉爲之使惡萎蕤勝烏頭

本經曰益氣欬逆上氣勞傷羸瘦補不足強陰益精◯別録曰養五藏除熱生陰中肌◯甄權曰治中下氣止嘔逆補虛勞令人體悅澤◯大明曰明目暖水藏壯筋骨治風消食反胃霍亂轉筋痃癖奔豚冷氣消水腫心

腹氣脹止渴除煩熱解酒毒◯東垣曰生津止渴治瀉痢補元氣不足收耗散之氣瞳子散大◯好古曰治喘欬燥嗽壯水鎮陽◯薛已曰養五臟抑以五味兼能入五臟與須佐以各經藥引酸苦入肺腎以收斂肺氣而滋腎水其止咳益氣收肺之力除煩生津補虛滋腎之功以其酸亦能強筋治痃癖霍亂轉筋皆由滋肺以平肝消酒毒者酒熱傷神得此收斂則肺氣斂而熱邪作消水腫腹脹者能收濕也◯成無已曰五味之酸以收逆氣而安肺◯東垣曰收肺氣乃火熱嗽必用之藥故

治嗽以之為君但有外邪者不可驟用恐閉其邪氣必先發散而後用之乃良有痰者以半夏為佐喘者以阿膠為佐與乾薑同用治肺寒氣逆○孫真人曰五六月宜常服五味子湯以益肺金之氣在上則滋源在下則補腎○元素曰千金言夏月困乏無力用此與參芪麥冬稍加黃蘗煎服使人精神頓加兩足筋骨湧出也益五味之酸輔人參能瀉丙火而補庚金收斂耗散之氣○本草新編曰或問五味子乃收斂之藥用之生脉散中可以防暑豈比五味亦能消暑耶曰五味子非消暑

藥也凡人當夏熱之時真氣必散故易中暑生脉用人參以益氣氣足則暑不能犯用麥冬以清肺肺清則暑不能侵又佐之北五味以收歛其耗散之金則肺氣更旺何懼外暑之熱是五味子助人參麥冬以生肺氣而非輔參麥以消暑邪也◯又曰或問五味子補腎之藥人皆用之于補肺而吾子又言宜少用而不宜多用不愈示人以補肺而不補腎乎曰北五味子補腎正不必多其味酸而氣温味酸則過于收歛氣温則易動龍雷之火不若少用之反易生津液而無強陽之失也◯宗

爽曰肺氣虚人作湯飲之本經曰性温今食之多致虚熱藥性論謂除熱氣日華子謂其暖水藏除煩熱後學至此多惑今既治肺虚寒則更不取其除熱之説○丹溪曰大能收肺氣宜其有補腎之功收肺氣非除熱乎補腎非暖水藏乎乃火熱嗽必用之藥寇氏所謂食之多致虚熱者蓋收補之驟也何惑之有又黄昏嗽乃火氣浮入肺中不宜用涼藥宜五味子倍子斂而降之○汪機曰南北各有所長風寒欬嗽南五味子為奇虚損勞傷北五味子最妙○本草新編曰五味子斂耗散之

肺金滋潤竭之腎水二治之外原無多治法也然子既求功于二者之外我尚有一法以廣其功五味子炒焦研末敷瘡瘍潰爛皮肉欲脫者可保全如故不至全脫也◎仲淳曰痧疹初發及一切停飲肝家有實熱者禁用◎薛己曰宜少用多則不惟收歛大驟抑且酸能吊痰引其嗽也小兒尤甚肺火鬱者禁用

雷斅曰凡使以銅刀劈作兩片蜜浸蒸却以漿浸一宿焙乾用◎時珍曰入補藥熟用入嗽藥生用◎　啓益按凡使用米泔水洗之焙乾用生用熟用須因其病俱連

皮核擣研最好蘇恭之言五味子皮肉甘酸核中辛苦都有鹹味此則五味具也然本邦俗醫多去皮用是奈蘇恭之言可哂

啓益按本邦之產者即南五味子也苦味多酸味少朝鮮來者即北五味子也滋潤而酸味殊厚有收斂之功且其子實大而三倍于本邦者也

山藥 本經上品

本經曰甘溫平無毒○吳普曰涼○東垣曰入手太陰○吳綬曰入足太陰○薛己曰陽中微陰可升可降○

本草徵要曰入心脾腎三經○之才曰紫芝為之使惡甘遂○好古曰天麥二冬為之使

本經曰傷中補虛羸除寒熱邪氣補中益氣力長肌肉強陰久服耳目聰明輕身不飢延年○別録曰主頭面遊風頭風眼眩下氣止腰痛補虛勞充五藏除煩熱○甄權曰去冷風鎮心神安魂魄補心開達心孔多記事○大明曰強筋骨主泄瀉健忘○王安道曰雖入手太陰然肺為腎之上源既有滋流豈無益也此八味丸所以用其強陰也○薛己曰入肺經而補心肺滋腎養脾

三焦之潤劑也然補肺為多蓋肺主諸氣令益氣以滋腎化源主泄精◎普濟方曰單用治心腹虛脹手足厥冷或飲苦寒之劑多未食先嘔不思飲食◎啓益按王宇泰傷寒調治之方異功散加山藥名六君子湯蓋傷寒初發悉用苦寒之劑故用補脾之藥加入山藥此擴充普濟方之意味也予屢用此方取奇效◎時珍曰杜蘭香傳云食薯蕷以可辟霧露◎本草徵要曰得土之中氣稟春之和氣以生比之金玉君子但性緩非多用不丕効◎本草新編曰山藥可君可臣用之無不宜者也

多用受益少用亦受益古今頗無異議而余獨有微辭者以其過于健脾也夫人苦脾之不健健脾則太腸必堅牢胃氣必強旺而善食何故獨取而貶之不知脾胃之氣太弱必須用山藥以健之脾胃之氣太旺而亦用山藥則過于強旺反能動火世人往往有胸腹飽悶脹山藥而更甚者正助脾胃之旺也人不知是山藥之過而歸咎于他藥此皆不明藥性之理也蓋山藥入心引脾胃之邪亦易入心山藥補虛而亦能補實所以能添飽悶也因世人皆信山藥有功而無過特為指出非貶

山藥也山藥舍此之外別無可議○又曰或問山藥補腎仲景張公所以用八味丸中也然而山藥實能健脾開胃意者八味丸非獨補腎之藥乎曰八味丸實直補腎水之藥也山藥亦補腎水之藥同羣共濟何疑然而八味丸中之用山藥意義全不在此山藥乃心肝脾肺腎無經不入之藥也八味丸雖直補腎中之水而腎水必分資于五藏而五藏無相引之使又何由分布其水而使之無不潤乎倘別用五藏佐使之品方必雜而不純故不若用山藥以補腎之水而又可遍通于五藏此

仲景張夫子補一顧五實有鬼神難測之機也◯丹溪曰補陰氣生者貼腫硬毒能消散◯嘉謨曰能消腫硬者以益氣補中也經曰虛之所在邪必湊之著而不去其病為實非消腫硬乎故補其氣則邪滯自不容不行

◯啓益按普濟方救急方等生搗加萞麻子貼腫硬毒及項後結核即消散又儒門事親手足凍瘡傅之立効以上諸症屢試之取驗蓋山藥素有備治腫硬結核毒之性効故其應驗如神然嘉謨漫言益氣補中則邪自行腫硬消顧夫補氣行氣而腫硬自消則奈何配萞麻

子之毒藥乎葢如山藥生則柔滑味苦薟爲芋之種類
故有山芋之稱其薟滑能解腫硬消堅核猶生半夏貼
癰疽乳硬及打撲凝血又生芋莖傳蜂螫蛇咬并癰疽
毒是併取薟滑解腫硬之義也凡品物各有性之所長
火雞不如角鷹猛虎不如猫兒抓擊鳥鼠豈其拘剛弱
乎凡藥物之治病也悉出自然而多難理會藕皮散血
起庖人牽牛逐水出野人而非醫師之談故天地間物
莫不爲天地間用觸遇而始會自非聖智則胡爲盡其
理乎依物理之難通而強以爲臆説則多鑿論是學者

古今之通病也苟學醫者觸類充擴審而詳之則靡所遺失矣○孟詵曰與麪同食則動氣

宗奭曰凡用貴生乾之冬月以竹刀刮去皮陰乾或烘乾○　啓益　按藥肆所販多用家園者生家園者其狀長直涎少且脆其性漸緩不堪用須供饌生山野者和俗稱自然生其狀長而縮涎多色白宜藥用今見販兒之製不辨家園山野削去皮以米粉或石灰糝之日乾堅硬如石蓋臨用時擇山野生色白者水洗去米粉及石灰日乾銅刀細切焙用

蓮肉 本經上品

本經曰甘平濇無毒○別錄曰寒○大明曰溫○仲淳曰入足太陰陽明兼入手少陰○時珍曰嫩菂性平石蓮性溫得茯苓山藥白朮枸杞良

本經曰補中養神益氣力除百疾久服輕身耐老不饑延年○孟詵曰主傷中五臟不足益十二經脉血氣○大明曰止渴去熱安心止痢治腰痛及泄精多食令人歡喜○蘇頌曰止嘔噦○嘉謨曰安靖上下君相火邪生用治產後瘀血去多而渴凡用產後極痾○時珍曰

交心腎厚腸胃強筋骨除寒濕療女人帶下○普濟方曰與龍骨益智茯苓治遺精白濁○丹溪心法曰與黃連粳米止脾泄久痢○何培元曰與石菖蒲治禁口痢○孟詵曰生食過多微動冷氣使人脹大便燥澀者不可食

時珍曰入藥剝去黑殼水浸去赤皮青心蒸熟或晒乾或焙乾用

蘇頌曰其菂至秋黑而沈水為石蓮○時珍曰八九月收之斫去黑殼貨之四方謂蓮肉○仲淳曰今肆中一下

種石蓮子狀如榧子其味大苦産廣中樹上不宜入藥
○啓益 按近來清來一種石蓮子其殼先黒堅硬剖之
無心味苦辛不可代用何培元治禁口痢用此物賛其
效然味苦辛實者宜之虚者不宜虚而禁口者用池蓮
子加石菖蒲有神效古方稱石蓮子者皆池蓮子而取
堅硬之義勿用木石蓮

白扁豆 別録中品

別録曰甘微温無毒○孟詵曰微寒○太明曰平○時
珍曰入足太陰○仲淳曰入足陽明經

別録曰和中下氣○甄權曰解一切草毒○孟詵曰補五藏主嘔逆久服頭不白○蘇恭曰療霍亂吐利○孟詵曰治瘕療吐利後轉筋○蘇頌曰行風氣治女子帶下解河豚及酒毒○時珍曰暖脾胃除濕熱通利三焦能化清降濁故專治中宮之病○千金方曰與香薷治霍亂吐利○存仁堂方曰與天花粉治消渴○嘉謨曰加十味香薷飲內治暑殊效佐參苓白朮散中止瀉立效○永類方曰女人服草藥墮胎腹痛者或胎氣已傷未墮見諸險症者須生用又解砒毒○事林廣記曰解

諸鳥獸之毒○肘後方曰傳惡瘡痂作痒痛効○弘景曰患寒熱者不可食○孟詵曰患冷人勿食○仲淳曰傷寒寒熱外邪方熾者不可用此補益之物耳如脾胃虛及傷食勞倦發寒熱者不忌

時珍曰凡用取硬殼扁豆子連皮炒熟入藥亦有水浸去皮及生用者從本方○ 啓益 按常用浸米泔水一宿去皮剉晒拌薑汁日乾炒令紅黃色良

蘇頌曰有黑白二種白者溫而黑者少冷入藥用白者良○時珍曰有黑白赤斑四色惟豆子畧圓而色白者

可入藥○啓益按本邦近來扁豆種類多有南京豆
一名隱元豆乃眉兒豆也又有藤豆葛豆天竺豆本草
綱目所謂鵲豆等皆扁豆之種類也宜食料不可入藥

薏苡仁 本經上品

本經曰甘微寒無毒○孟詵曰平○薛己曰陽中微陰
可升可降入手足太陰陽明足厥陰經
本經曰筋急拘攣不可屈伸風痺下氣邪氣不仁利腸
胃消水腫令人能食○甄權曰主不飢温氣止消渴殺
蚘蟲○孟詵曰去乾濕脚氣○後漢馬援傳曰省慾勝

瘴氣○甄權曰治上氣破毒腫○梅師方曰治肺痿咳
唾膿血○外臺秘要曰治咽喉卒癰腫牙齒風痛含之
○仲景曰與杏仁麻黄治風濕燥痛日晡劇者與附子
治周痺偏緩急者○張師正倦遊録曰佐東壁土治疝
疾車墜○經驗方曰治沙石熱淋○嘉謨曰按衍義云
本經謂主拘攣須分兩等大筋縮短拘急不伸此是因
熱拘攣故此可用倘若因寒筋急不可用也又云受濕
者亦令筋緩再按丹溪曰寒則筋急熱則筋縮急因于
堅強縮因干短促若受濕則弛弛因於寬長然寒於濕

未嘗不挾熱而三者又未始不因於濕薏苡仁去濕要藥也二家之說實有不同以衍義言觀之則筋病因熱可用因寒不可用以丹溪言觀之則筋病因寒因濕因熱皆可用也蓋寒而留久亦變為熱况外寒濕與熱皆由內濕啓之方能成病謂之三者未始因於濕是誠盲者日月聾者雷霆歟○時珍曰屬土陽明藥也故能健脾益胃虛則補其母故肺痿肺癰用之筋骨之病以治陽明為本故拘攣筋急風痺者用之土能勝水除濕故泄痢水腫用之按古方小續命湯註云中風筋急拘攣

語遲脉弦者加薏苡仁亦扶脾抑肝之義○宗奭曰此藥力勢緩薄凡用須加倍他藥卽見効○仲淳曰大便燥結小水短少因寒轉筋脾胃無濕者及妊婦禁用雷斅曰凡使有同糯米炒者又有以鹽水煮過者是亦下般修製○啓益按常用微炒良勿拘雷氏之製雷斅曰顆小色青味甘咬著粘人齒者薏苡可用顆大無味者粳糨也不可用

遠志 本經上品

本經曰苦温無毒○仲淳曰兼微辛○薛己曰陰中之

陽可升可降◎好古曰腎經氣分藥也◎仲淳曰兼入足太陰◎之才曰得茯苓冬葵子龍骨良畏珍珠藜蘆蜚蠊齊蛤

本經曰欬逆傷中補不足除邪氣利九竅益智慧耳目聰明不忘強志倍力久服輕身不老◎別錄曰利丈夫定心氣止驚悸益精去心下膈氣皮膚中熱面目黃◎甄權曰治健忘安魂魄令人不迷壯陽道主邪夢◎日華曰長肌肉助筋骨婦人血噤失音小兒客忤◎好古曰治腎積奔豚◎陳肖庵方曰倍加當歸療婦人無病

而不生育者○直指方曰吹喉痺○本草彙言曰同人参白朮茯苓補心同黄芪甘草白朮能補脾同地黄枸杞山藥能補腎同白芍當歸川芎能補肝同人参麥冬沙参能補肺○范汪方曰與桂心乾薑細辛蜀椒附子治胸痺心痛○普濟方曰與茯神益智治小便赤濁○仲淳曰同辰砂金箔琥珀犀角能鎮驚同半夏膽星貝母白芥子能消驚痰同牙皂鈎藤天竺黄能治急驚同當歸六黄湯能止陰虚盗汗同黄芪四君子能止陽虚自汗○時珍曰入足少陰腎經非心經藥也其功專於

強志益精治善忘益精與志皆腎經之所藏也腎精不足則志氣衰不能上通于心故迷惑善忘○薛已曰發明云苦入心而滋陰溫能兼補手足少陰經也本經主利九竅寧心神益智慧聰明耳目健志及小兒客忤此皆主手少陰安定心神之專功也又壯陽道長肌肉助筋骨及婦人血噤失音久服延年悅顏色此皆溫補兼滋足少陰之功也○張路玉醫通曰本經言治欬逆傷中詳遠志性溫助水非欬逆所宜當是嘔逆之誤以其性稟純陽善通諸竅竅通則耳目聰明強志不忘皆益

腎氣之驗別録云去心下膈氣非嘔逆之類乎◯仲淳曰陽草也陽主發散故利九竅通心氣益智慧心有積想則氣欝矣心有伏痰則驚悸神亂而不寧矣心開通則神思安而驚悸定又相火自靖意不妄動則不精妄搖陽妄舉矣心清則腎水自安腎安則淫火熄瘏癀夢想動惕之證何所有焉◯陳言曰治一切癰疽癤毒吹乳腫痛不問虛實寒熱敷服極効◯本草徵要曰水火並補殆交坎離成既濟者耶本功外善療癰毒皆奇苦以泄之辛以散之力也

雷斅曰凡使去心否則令人煩浸甘草湯一宿暴乾
時珍曰有大葉小葉二種陶氏所謂似麻黄而青者乃
大葉也花紅馬志所謂似大青而小者即小葉也○啓
益按本邦俗以小桔梗雛桔梗充此物非也

酸棗仁　本經上品

本經曰酸平無毒○宗奭曰微熱○時珍曰仁甘平○
薛已曰陰也可升可降入手少陰足少陽厥陰○仲淳
曰入足太陰○之才曰惡防已
本經曰主心腹寒熱邪結氣聚四肢酸疼濕痺久服安

五藏輕身延年○別録曰煩心不得眠臍上下痛血轉
久洩虛汗煩渴補中益肝氣堅筋骨助陰氣令人肥健
○甄權曰用仁療筋骨風○胡洽曰佐茯苓白朮人參
甘草生薑治振悸不眠○楊起曰與人參茯苓治盜汗
○蘇恭曰本經用實療不得眠不言用仁今方書皆用
仁補中益肝堅筋骨助陰氣皆酸棗仁之功也○馬志
曰陶云食之醒眠而經云療不得眠蓋其子肉味酸食
之便不思眠核中仁服之療不得眠正如麻黃發汗根
節止汗也○聖惠方曰膽虛不眠寒也炒香爲末竹葉

湯調服○濟衆方曰膽實多眠熱也生用茶薑汁調服○時珍曰實味酸性收故主肝病寒熱結氣酸痺久泄臍下滿痛之症其仁甘而潤故熟用療膽虛不得眠煩渇虚汗之症生用療膽熱好眠皆足厥陰少陽經藥也今人專以為心家藥殊昧此理○薛己曰發明云安和五藏大補心脾然補心之功居多蓋心主血脾裹血惟大補心脾則血歸心脾而心志寧五藏得血而安和矣所謂煩心不得眠者血少故耳若心脾血足而安和則睡臥自寧矣○仲淳曰凡肝膽脾三經有實邪者勿用

雷斅曰用仁以葉蒸之半日去皮尖○啓益按凡使不拘葉蒸之製去皮尖或生用或炒用

山茱萸　本經中品

本經曰酸平無毒○別録曰微温○權曰鹹辛大熱○好古曰陽中之陰入足厥陰少陰經氣分○之才曰蓼實爲之使惡桔梗防風防已

本經曰心下邪氣寒熱温中逐寒濕痺去三蟲久服輕身○別録曰腸胃風邪寒熱疝瘕頭風風氣去來鼻塞目黄耳聾面皰下氣出汗強陰益精安五臟通九竅止

小便利久服明目強力長年○甄權曰治腦骨痛療耳鳴補腎氣興陽道堅陰莖添精髓止老人尿不節治面上瘡能發汗止月水不定○大明曰煖腰膝助水藏除一切風逐一切氣破癥結治酒皶○元素曰温肝○好古曰滑則氣脫濇劑所以收之山茱萸止小便利秘精氣取其味酸濇以收滑也仲景八味丸用之為君其性味可知矣○仲淳曰命門火熾強陽不痿者忌之

木瓜　別録　中品

別録曰酸温無毒○孫真人曰酸鹹温濇○東垣曰入

手足大陰血分○仲淳曰氣薄味厚降多於升陽中陰
入足陽明厥陰
別録曰治濕痺霍亂大吐下轉筋不止○藏器曰強筋
骨下冷氣止嘔逆心膈痰唾消食止水痢後渇不止○
大明曰止吐瀉奔豚及水腫冷熱痢心腹痛○雷斅曰
調營衛助穀氣○好古曰和胃滋脾益肺治腹脹善噫
心下煩痞○仲淳曰與當歸石斛牛膝續斷芎藭橘皮
同用治血虛轉筋與木薏苡茯苓五加皮石斛萆薢黄
蘗同用治濕熱脚氣入六和湯治暑月霍亂單用治楊

梅結毒○名醫録曰治脚氣腫急切片囊盛蹈之○弘景曰最療轉筋有神効如轉筋時呼其名書其字揩之及書土作木瓜字皆愈此理不可解○時珍曰所主霍亂吐利轉筋脚氣皆脾胃病非肝病也肝雖主筋而轉筋則由濕熱之邪襲傷脾胃所致故轉筋必起於足腓腓及宗筋皆屬陽明木瓜治轉筋非益筋也理脾而伐肝也土病則金衰而木盛故用酸温以收脾肺之耗散而藉其走筋以平肝邪乃土中瀉木以助金也木平則土得令而受蔭矣○　啓益顧時珍之説雖似精細恐鑿

論乎木瓜素備治脚氣轉筋之性効不然則胡爲得上
上書其字杖頭掛其枝或盛囊踏之而有其病愈之義
乎是其自然之妙不惟木瓜而耳百藥之性効多出自
然有難解其理強推物理則涉穿鑿○羅天益曰或曰
食蜜煎木瓜三五枚同伴數人皆病淋疾以問其故答
曰此食酸所致也但奪食則已陰之所生本在五味陰
之所傷亦在五味五味太過皆能傷人不獨酸也又陸
佃埤雅俗言梨百損一益楙百益一損故詩云投我以
木瓜取其有益也○仲淳曰下部腰膝無力由於精血

虛真陰不足者及傷食脾胃未虛積滯多者不宜用入藥忌鐵器

牡丹皮 本經中品

本經曰辛寒無毒〇別錄曰苦微寒〇好古曰苦辛陰中微陽入手厥陰足少陰經〇仲淳曰其色赤而象火故入手少陰足厥陰〇之才曰畏貝母大黃兔絲子〇大明曰忌蒜胡荽伏砒

本經曰主寒熱中風瘈瘲驚癇邪氣除癥堅瘀血留舍腸胃安五藏療癰瘡〇別錄曰除時氣頭痛客熱五勞

腰痛風噤癩疾○吳普曰久服輕身益壽○甄權曰治冷氣散諸痛女子經脈不通血瀝○大明曰通關腠血脉排膿消撲損瘀血續筋骨除風痺治胎下胞產後一切冷熱血氣○元素曰治神志不足無汗之骨蒸衄血吐血○時珍曰和血生血凉血治血中伏火除煩熱○千金方曰與防風同治癩疝偏墜又療金瘡內漏○肘後方曰治下部生瘡已決洞者○元素曰牡丹乃天地之精為群花之首葉為陽發生也花為陰成實也丹者赤色火也故能瀉陰胞中之火四物湯加之治婦人骨

蒸○丹溪曰地骨皮治有汗骨蒸牡丹皮治無汗骨蒸○東垣曰心火熾甚心氣不足者以牡丹皮為君○元素曰神不足者手少陰志不足者足少陰故仲景腎氣丸用之治神志不足也又能治吐衄血必用之藥故犀角地黃湯用之○仲淳曰入清胃散治陽明胃經血熱齒痛○時珍曰陰火即相火也古方以此治相火後人乃專以黃蘗治相火不知牡丹之功更勝也此乃千歲秘奥人所不知今為拈出赤花者利白花者補人亦罕悟宜分別之○張氏醫通曰赤者利血白者兼補氣亦

如赤白芍藥之類諸家其性寒安有辛香而寒者乎○仲淳曰本入血涼血之藥然能行血凡婦人血崩及經行過期不淨並忌與行血藥同用

地骨皮○本經上品

本經曰苦寒○別録曰大寒○甄權曰甘平○東垣曰苦平寒升也陰也○時珍曰甘淡寒○好古曰入足少陰手少陽經制硫黄丹砂

甄權曰去腎家風益精氣○孟詵曰去骨蒸熱消渴○元素曰解肌熱治風濕痺堅筋骨涼血○東垣曰治

在表無定之風邪傳尸有汗之骨蒸○好古曰瀉腎火
降肺中伏火去胞中火退熱補正氣○呉瑞曰治上膈
吐血嗽止衂血治骨槽風○陳承曰治金瘡○時珍曰
去下焦肝腎虚熱○千金方曰與萆薢杜仲酒煎治腎
虚腰痛又與生地黄酒煎治婦人帯下脉數者○東垣
曰配柴胡治口舌糜心胃壅熱水穀不下○羅天益曰
療下疳瘡先以漿水洗之後摻末生肌止痛○永類方
曰煎洗療婦人陰瘡○千金方曰與葵根汁同治瘭疽
出汗此証手足纍纍如赤小豆○肘后方曰漱風蟲牙

齒痛○孫真人曰有痼疾人勿服

石菖蒲　本經上品

本經曰辛温無毒○甄權曰苦辛○薛己曰陰中之陽
可升可降入手少陰足太陽○時珍曰入足厥陰○大
明曰忌飴糖羊肉○之才曰秦皮秦艽為之使惡地膽
麻黄

本經曰主風寒濕痺欬逆上氣開心孔補五藏通九竅
明耳目出音聲治耳聾癰瘡温腸胃止小便利久服輕
身不忘不迷惑延年益心智高志不老○別録曰治四

肢濕痺不得屈伸小兒溫瘧身積熱不解可作浴湯○
甄權曰治耳鳴頭風涙下鬼氣殺諸蟲惡瘡○孫真人
曰治胎動欲産者擣血海敗并産後下血不止○大明
曰除風下氣温水藏除煩悶止心腹痛霍亂轉筋及罨
耳痛○天民曰治癲癇○道藏經曰主五勞七傷填血
補腦堅骨髓長精神和血脉澤皮膚益口齒療天行時
疾瘴疫瀉痢痔漏婦人帯下産後血運○肘後方曰治
中惡卒死客忤○聖濟總録曰治喉痺點赤眼與白麪
治吐血○蘇頌曰與呉茱萸治心腹冷氣㨶痛○奇効

方曰與斑蝥治諸積鼓脹○楊士瀛曰與人参茯苓石蓮肉治下痢禁口○張三錫醫學六要曰治大病後全不食者開心竅進食○陳自明曰與補骨脂治赤白帶下○戴原禮曰傅便毒○時珍曰解巴豆大戟毒○本草彙言曰一切氣閉如音聲不清耳竅不利并喉脹乳蛾脹之即通大抵此藥辛則上升而苦則下降香則通竅而溫則流行可以散風可以溫寒可以去濕可以行水可以和血也○仲淳曰稟孟夏六陽之氣合金之辛芳香利竅達氣心脾之良藥也故善宣通能除濕痺其

性香燥陰血不足者禁用惟佐地黃天門冬之屬資其宣導臻于太和○本草新編曰或問石菖蒲必得人參而始效是石菖蒲亦可有可無之藥也此吾子過輕石菖蒲矣石菖蒲有專效也凡心竅之閉非石菖蒲不能開徒用人參竟不能取效是人參必得石菖蒲以成功非石菖蒲必得人參而奏效蓋兩相須而兩相成實爲藥中不可無之物也

千金方曰忌鐵器○時珍曰微炒用○　啓益按凡使生用良炒則減辛香之氣味其功薄

本草新編曰或問石菖何故必取九節者良市上易者且不止九節節之多寡可不問乎石菖蒲凡細大者俱可用而前人取九節者取九竅之俱可通也其實石菖蒲俱能通心竅心竅通而九竅俱通◯雷斆曰凡使勿用泥菖蒲夏菖蒲如竹根鞭形節稠一寸九節者是真也◯陳承曰生水石間者根葉極細緊一寸不啻九節入藥極佳生池澤者肥大節踈粗慢氣味不烈而和淡不可入藥◯嘉謨曰埋土者堪用露出者勿用

藥籠本草卷之中終

特1
1916

特1
1916

藥籠本草卷之下

牛山香月啓益著
姪　景山香月玄洞叅
門人東庵綾部玄岫訂

附子 本經 下品

本經曰辛溫有大毒○別錄曰甘大熱○李當之曰苦○元素曰大辛大熱氣厚味薄可升可降陽中之陰浮中沉無所不至為諸經引用之藥○好古曰入手少陰三焦命門○之才曰地膽為之使惡蜈蚣畏防風黒豆

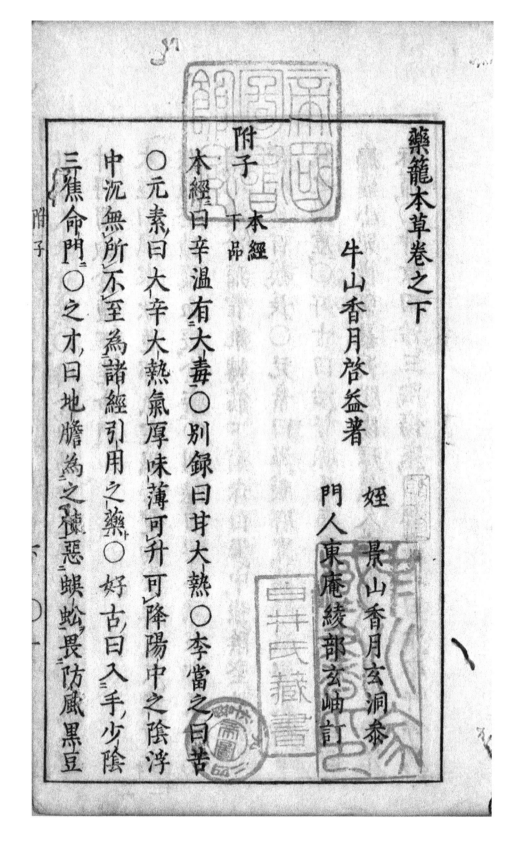

其草人参黄芪○時珍曰畏緑豆烏韭童便犀角忌豉
汁得蜀椒食鹽下達命門
本經曰風寒欬逆邪氣寒濕踒躄拘攣膝痛不能行歩
破癥堅積聚血瘕金瘡○別録曰腰脊風寒脚氣冷冷
弱心腹冷痛霍亂轉筋下痢赤白温中強陰堅肌骨又
墮胎為百藥長○元素曰温暖脾胃除痺濕腎寒補下
焦之陽虚○好古曰治督脉為病脊強而厥○時珍曰
癲癎小兒慢驚暴瀉脱陽瘴氣久病嘔噦○完素曰治
麻痺○仲景曰治三陰傷寒○孫真人曰治卒忤停尸

安瘡口灸之治癰疽塗丁瘡○聖惠方曰治風毒頭痛
大風諸痺與枯礬治下血虚寒○濟衆方曰治脚氣○
指南方曰治腎厥頭痛○本事方曰治腎氣上攻○經
驗方曰治反胃○聖濟總録曰治冷秘休息痢○孫兆
曰治霍亂吐瀉與石膏治頭風頭痛○和劑方曰佐沉
香升降諸氣治氣厥與乾薑治中寒與烏頭南星木香
生薑治中風痰厥○易簡方曰與羌活烏藥治中風偏
枯○全幼心鑑曰與南星貼天柱骨治小兒項軟○本
草拾遺曰和蜜治喉痺○宣明方曰與欝金陳皮治寒

厥心痛○濟生方曰治虛寒與延胡索木香治寒疝滑泄○余居士曰與生地黃治陽虛吐血○摘玄方曰塗涌泉穴治虛火背熱○小品方曰塗右足心下胎○談埜翁曰塗手足凍裂○仲淳曰得乎天之熱氣以生無非火熱為性氣味皆然毒可知已論其性質之所能乃是退陰寒益陽火兼除寒濕之要藥引補氣補血入命門益相火之上劑也其主金瘡亦謂為風寒所欝擊血瘀不活之證而非血流不止之金瘡也○啓益顧仲淳之跡不確本經言治金瘡非內服也葢金瘡血脫陽氣

不至傷處故用之爲末傅之或拌温補膏而貼之則斂瘡口之義也○時珍曰凡中風不可先用風藥及烏附若先用氣藥後用烏附乃宜也亦並宜冷服此熱因寒用也○吳綬曰附子乃陰症要藥凡傷寒傳變三陰及中寒夾陰雖身大熱而脉沉者必用之或厥冷腹痛脉沉細甚則唇青囊縮者急須用之有退陰回陽之力起死回生之功近世陰症傷寒往往疑似不敢用附子直待陰極陽竭而用之已遲矣且夾陰傷寒内外皆陰陽氣頓衰必須急用人參健脉以益其原佐以附子温經

散寒捨此不用將何以救之○天民曰稟雄壯之質有
斬關奪將之氣能引補氣藥行十二經以追復散失之
元陽引補血藥入血分以滋養不足之真陰引發散藥
開腠理以驅逐在裏之冷濕○丹溪曰氣虛熱甚者宜
少用附子以行參耆肥人多濕亦宜少加烏附行經仲
景八味丸用為少陰嚮導後世因以附子為補藥誤矣
附子走而不守取其健悍走下之性以行地黃之滯可
致遠爾○王履曰仲景八味丸元為陰火不足者設錢
仲陽六味丸為陰虛者設附子乃補陽之藥非為行滯

也○薛巳曰四逆湯用之以回真氣理中湯用之以補脾八味丸用之補腎脾人每以其伯道廢棄而不用不知附子止為引經之藥入於人參乾薑白朮氣分之藥則引氣而行入於熟地丹皮茱萸血分之藥則引血而走顧用之合否何如耳○景岳全書曰如藥之性毒者何可不避即如本草所云某有毒某無毒余則甚不然之而不知無藥無毒也故熱者有熱毒寒者有寒毒若用之不當凡能病人者無非毒也即如家常茶飯本皆養人之正味其或過用誤用亦能毒人而況以偏味偏

性之藥乎但毒有大小有權宜此不可不察耳矧附子之性雖云有毒而實無大毒但制得其法用得其宜何毒之有今之人不知其妙且并人參熟地而俱畏之夫人參熟地附子大黃乃藥中之四維病而至於可畏勢非庸庸所濟者非此四物不可設者逡巡必誤乃事今人直至必不得已而後用附子事已無濟矣事無濟則反罪之將附子誠廢物乎嗟夫人之所以生者陽氣耳正氣耳人之所以死者陰氣耳邪氣耳人參熟地者治世之良相也附子大黃者亂世之良將也兵不可久用

故良將用於暫亂不可忘治故良相不可缺夫附子
雖烈而其性扶陽有非硝黃之比硝黃似緩而其性陰
泄又非桂附可例華元化曰得其陽者生得其陰者死
内經曰門戶不要是倉廩不藏也得守者生失守者死
今之人履芒硝大黃若坦途視參附熟地為蛇蝎愚耶
知耶○時珍曰烏附毒藥非危病不用而補藥中少加
引導其功甚捷有人纔服錢匕即發燥不堪而昔人補
劑用為常藥豈古今運氣不同耶荊府都昌王體瘦而
冷無他病日以附子煎湯飲兼嚼硫黃如此數歲蘄州

衛張百户平生服鹿茸附子藥至八十餘康健倍常醫説載趙知府耽酒色每日煎乾薑熟附香硫黃金液丹百粒乃能健啖否則倦弱不支壽至九十他人服一粒即為害若此數人皆其藏府稟賦之偏服之有益無害不可以常理槩論也○蕭京曰用附子須君以人參必佐甘草或大棗則無毒○好古曰性走而不守非若乾薑止而不行○本艸徵要曰附子若非陰寒寒濕陽虛氣弱之病而誤用于陰虛内熱禍不可旋踵也○啓益謂古哲論附子生則發散熟則峻補其性峻急而有大

毒浮中沉無所不至雄壯之質斬奪之性引經嚮導之藥而不宜獨用是以配合補氣補血之藥及驅寒通脉之劑而取驗速近世醫鹵莽而不詳藥之性理不辨劑之臣使漫用附子以謂此物追復元陽之散失滋養真陰之不足回生起死之聖藥且人命根于一陽之真氣陽旺則陰自長甚者不配他藥而單服者往往有之不知此物性峻急用之而中暴卒危劇之病則通行三焦之元氣以除却邪氣是叔而治之間有見速効則相習而不察用附子十倍于古不思之甚也顧夫氣血者陰

陽也真氣者陰陽混成之名而猶太極之總括陰陽譬如燈火膏油以爲陰血燈心以爲陽氣燃之而爲妙用者猶人身氣血相對待而爲元氣以爲動靜云爲之妙用然矣如人病真陰虛乏血不足者用六味丸以增膏油壯水之主而制陽光也如陰陽氣血虛乏且真氣不足者用八味丸以增燈心益火之源而消陰翳也如是則其病快復而其體平安也庸醫不能通曉此義漫説而謂附子本温補之藥助補元陽之真氣非大料奚以得速効乎如參附湯古方分量人參七錢附子三錢今

也不然用附子七錢人參三錢是不知劑之君佐不辨方之名義變參附湯而為附參湯變分量之多寡而亂君臣之義也附子本性有大毒從人參白朮地黄茱萸則其毒却行補藥之滯而補元氣然多服單服則煎耗真陰損傷元氣其害何可言乎不可不審

啓益　按古人修製法多端或浸黒豆煮汁或浸童便或浸甘草煎湯一七日　本邦醫習而不察多倣此製法予顧中華新掘採附子以釀熟而市之故其製法依舊近見清來者多陳舊而不新鮮以白灰埋之殺其毒既

在于前矣必因循古製乎今欲製之得當中以附子一塊七八錢者浸米泔水二時許洗去白灰去麁皮及臍底切作四片浸甘草防風濃煎湯半日漉起晒乾細切微炒須入藥勿拘中華之製法張景岳所謂附子製太過則太熟而全無辣味并其熱性全失但用附子之名耳賢哉此言乎

啓益按烏頭天雄側子皆附子之種類其功大同而少異非日用急務之藥故不贅　本邦俗稱止里加布登或稱波奈豆留者充于附子倶草烏頭之種類而非真

附子也近清来者以白灰裹之多腐爛柔軟以體乾實頂圓底平無頭角要之二三錢至八九錢者爲最上好附子也

乾薑　本經中品

本經曰辛温無毒○元素曰大辛大熱陽中之陽氣薄味厚半沉半浮可升可降○薛己曰入手太陽陽明足太陰少陰

本經曰治胸滿欬逆上氣温中止血出汗逐風濕痹腸澼下痢生者最良○別録曰寒冷腹痛中悪霍亂脹滿

風邪諸毒皮膚間結氣止唾血○葛洪曰治寒痢青色傳虎狼傷○千金方曰治中寒水瀉虚勞不眠○甄權曰治腰腎中疼冷冷氣破血去風通四肢關節開五藏六府宣諸絡脉去風毒冷痺夜多小便○王燾曰治心氣卒痛○大明曰消痰下氣治轉筋吐瀉反胃乾嘔療血撲損止鼻紅解冷熱毒開胃消宿食○普濟方曰貼足心治赤眼澁痛○元素曰其用有四通心助陽一也去藏府沉寒痼冷二也發諸經之寒氣三也治感寒腹痛四也腎中無陽氣欲絶黑附子為引名薑附湯亦治

中焦寒邪寒滛所勝以辛散之也又補下焦故四逆湯用之味本辛炮之稍苦故止而不移所以能治裏寒非若附子行而不止也理中湯用之者以其回陽也○東垣曰生則逐寒邪而發表炮則除胃冷而守中多用則耗元氣辛以散之是壯火食氣故也須以生甘草緩之○好古曰心脾二經氣分藥也故補心氣不足或言辛熱而補脾今理中湯用之言泄不言補何也蓋辛熱燥濕泄脾中寒濕邪氣非泄正氣也○丹溪曰入肺中利肺氣入腎中燥下濕入肝經引血藥生血故血虛發熱

産後大熱者用之止嘔血血痢炒黒用之有血脫色白而夭不澤者此大寒也宜乾薑之辛温以益血大熱以温血也○薛己曰生用入發散藥能利肺氣而治嗽熟用入補中藥則能和脾家虚寒入補陰藥能治血虚發熱炒黒與涼血同用療血熱溢泄引血藥入氣分而治血熱○時珍曰去惡養新有陽生陰長之意故血虚者用之凡人吐血衂血下血有陰無陽者亦宜用之乃熱因熱用從治之法也○太清外術曰孕婦不可食令胎内消○本草徵要曰血寒者可多用血熱者不過用三

四分為向導而已○仲淳曰大辛能散氣走血久服損
陰傷目陰虛內熱咳嗽吐血表虛有熱藏毒下血熱嘔
火熱腹痛皆勿服○蕭京曰病久陽虛者禁之誤用必
致脱汗
弘景曰作乾薑法水淹三日去皮置流水中六日晒乾
置瓮缸中釀三日乃成○啓益按本邦賣藥家製法
其勤外飾而欲形實故不去麁皮蒸之而後拌石灰晒
乾其味不辛烈補中守中功自有之如中華之製則肉
瘦而不充實筋透而如絲其味辛辣多刺咽雖利于逐

寒無益于守中其如賣藥家之製者湯洗去灰氣細切褁濕紙煨熟尤良

生薑 別錄中品

別錄曰辛微溫無毒○甄權曰要熱則去皮要冷則留皮○元素曰辛而甘溫氣味俱厚浮而升陽也○之才曰秦椒為之使殺半夏莨菪毒惡黃芩黃連天鼠糞

本經曰久服去臭氣通神明○弘景曰久服少志少智傷心氣今人噉辛辣物惟此最常故論語云每食不撤薑言可常食但不可多爾有病者是所宜矣○蘇恭曰

然惡心嘔清水與草豆蔻治口臭○本艸新編曰止心
中之痛然亦必與蒼朮同用為妙否則有愈有不愈以
良薑不能去濕故耳○本艸彙言曰古方治心脾疼多
用良薑寒者與木香肉桂砂仁同用至三錢熱者與黒
山梔川黃連白芍同用六七分于清火藥中取其辛溫
下氣止痛有神耳若治脾胃虛寒之證須與參芪半朮
同行尤善單用多用辛熱走散必耗中和之氣也○時
珍曰男女心口一點痛者多因怒乃受寒而胃脘有滯
或有蟲也俗言心氣痛者非也用酒浸良薑酢洗香附

子谷焙研病因寒倍良未因怒倍附未寒怒無有各等分以米飲加入生薑汁一匙鹽一捻服之立止此鐵跡佛之方也○薛已曰寒邪停冷可服脾胃火不足者用之以消陰翳若肺中有熱者及至於火症燥結不可妄投○仲淳曰如胃火作嘔傷者霍亂火熱注瀉心虚作痛法咸忌之

時珍曰凡使宜炒過亦有同呉茱萸東壁土炒過用者

○啓益按宜生用然新採者香氣辛烈微炒用亦佳

啓益按良薑子名紅豆蔻性効多相同辛烈芳香能醒

本經言薑久服通神明主痰氣卽可常啖陶氏誤為此說撿無所據〇仲淳曰生薑與乾薑性氣無殊第消痰止嘔出汗散風袪寒止泄疏肝導滯則功優於乾者主治禁忌並與乾薑同〇本草彙言曰生薑乾薑統治百病不拘寒熱虛實并外感內傷不內外因諸症寒則為桂附使熱則為芩連使虛則為參芪歸芍使實則為枳樸梹榔使從芒硝大黃則攻下而行從熟地石斛則凝斂而止從燥藥則燥從潤藥則潤應外用者或擣汁塗或擣渣熨治病萬種應變無方顧人用之何如耳惟癃

瘍痔血之證禁用○成無己曰薑棗味辛甘專行脾之津液而和

良薑 別録中品

別録曰辛大温無毒○馬志曰辛苦大熱○元素曰熱純陽浮也入足太陰陽明經

別録曰療暴冷胃中冷逆霍亂腹痛○孫真人曰治心痺冷痛○蘇恭曰治脚氣欲吐○藏器曰下氣益聲好顔色止痢○大明曰治轉筋反胃解酒毒消宿食○時珍曰寛噎膈○普濟方曰嘀鼻治頭痛○蘇頌曰療忽

脾贊温肺散寒燥濕解酒毒素有伏火者并孕婦不可
用本邦藥肆呼伊豆縮砂以代縮砂販之甚誤也

肉桂　本經上品

本經曰辛大熱有小毒○東垣曰陽中陽浮也桂肉者
氣厚桂枝者氣薄○之才曰忌生葱石脂
別録曰利肝肺氣心腹寒熱冷疾霍亂轉筋頭痛腰痛
出汗止煩止唾咳嗽鼻齆墮胎温中堅筋骨通血脉理
疏不足宣導百藥無所畏久服神仙不老○元素曰補
下焦不足治沉寒痼冷之病滲泄止渇去營衛中風自

汗春夏爲禁藥秋冬下部腹痛非此不能止○好古曰補命門不足益火消陰○時珍曰治寒痺風痺陰盛失血瀉痢驚癇○和劑方曰與茯苓解暑○何氏方曰加麝香下死胎○經驗方曰治食果腹脹○醫餘録曰有人患赤眼腫痛脾虚不能飲食肝脉盛脾脉弱用凉藥治肝則脾愈虚用煖藥治脾則肝愈盛但於温平藥中倍加肉桂殺肝益脾故一治兩得之傳云木得桂而枯是也○龎安常曰炒過則不損胎也又丁香官桂治痘瘡灰塌能温托化膿○好古曰別録言有小毒又云久

服神仙不老雖有小毒亦從類化與芩連為使小毒何
施與烏附為使全取其熱性而已與巴豆硇砂乾漆穿
山甲水蛭等同用則小毒化為大毒與人參麥門冬并
草同用則調中益氣便不可久服也○景岳全書曰桂
為木中之王故善平肝木之陰邪而不知善助肝膽之
陽氣其味甘故最補脾土凡肝邪尅土而無火者用此
極妙○東垣曰氣薄者桂枝也氣厚者桂肉也氣薄則
發泄桂枝上行而發表氣厚則發熱桂肉下行而補腎
此天地親下親上之道也○好古曰或問本草言桂能

止煩出汗而仲景治傷寒有當發汗凡數處皆用桂枝湯又云無汗不得服桂枝汗家不得重發汗若用桂枝是重發其汗汗多者用桂枝甘草湯此又用桂枝開汗也一藥二用與本草之義相通否乎曰本草言桂辛甘大熱能宣導百藥通血脉止煩出汗是調其血而汗自出也仲景云太陽中風陰弱者汗自出衛實營虛故發熱汗出又云太陽病發熱汗出者此為營弱衛強陰虛則陽必湊之故皆用桂枝發其汗此乃調其營氣則衛氣自和風邪無所容遂自汗而解非桂枝能開腠理發

出其汗也汗多用桂枝者以之調和營衛則邪從汗出
而汗自止非桂枝能閉汗孔也昧者不知出汗閉汗之
意遇傷寒無汗者亦用桂枝誤之甚矣桂枝湯下發汗
字當認作出字汗自然發出非若麻黄能開腠理發出
其汗也其治虚汗亦當逆察其意可也○薛己曰壯年
命門火旺者忌服惟老弱幼小命門火衰不能生土完
穀不化腎虚産後下元不足營衛衰微者之要藥也○
張氏醫通曰昔人以亡血虚家不可用時珍以之治陰
盛失血非妙達陰陽之理不能知此惟陰虚非血而脉

弦細數者切忌○本草彙言曰此獨純陽精粹之力以行辛散甘和熱火之熱乃大温中之劑凡元氣不足而亡陽厥逆或心腹腰痛而吐嘔泄瀉或心腎久虚而痼冷怯寒蛔蟲而心膈脹滿或血氣冷凝而經脉阻遏假此味厚甘辛大熱下行走裏之物壯命門之陽植心腎之氣宣導百藥無所畏避使陽長則陰自消而前諸證自退矣○本草徵要曰横行而為手臂之引經直行而為奔豚之向導按桂性偏陽不可誤投如陰虚之人一切血證及無虚寒者均當忌之○ 啓益按 本邦近世

謂醫者多倣明季之醫說漫謂近世及澆末人身之氣血薄弱宜溫補而不宜攻擊故惡芩連如蛇蝎諸桂附如蔗飴見危急暴疾則不問寒熱虛實用附子理中薑附湯之劑倍加桂附有偶中則習而不察衒業誇功稱家傳師說愈用而愈誤是近世之風習也蓋人有生也一氣而已氣血陰陽相待對而一氣和平則何病之有焉得病則無寒熱虛實一氣鬱滯而不能流行俱用參附桂薑以開發則一氣舒長甦生是所謂劫治也屢用之則偏溫熱而耗散真氣有損無益世醫雖勤溫補長

怖附子之峻毒不能多用如桂比附則性不峻急故用之不厭多或言瀉補脾胃單服者亦往往有之甚者倍加于参附蓋不知桂素宜導之藥而不宜獨用胡為不思乎好古所謂桂大熱能宜導百藥與補藥同用則調中益氣與毒藥同用則小毒化為大毒便不可多服久服咎識此言耶

好古曰細薄者為枝為嫩厚脂者為老為肉去皮與裏當中者為桂心○啓益按近清來者種類多有東京有交趾有阿港以東京者為最上又有官桂皮厚辛辣香

氣不稠粘者良清來桂多混雜木蘭皮及辛夷皮須揀去也　本邦桂即菌桂也不如清來者然鄙僻地之藥物則用之可也新採者香氣薄剥取裹帋藏筐中一年許而用之則香氣發出甚佳近藥店稱東京肉桂者皮薄辛辣即桂枝也

沉香　別録上品

別録曰辛微温無毒○李珣曰苦温○大明曰熱○元素曰陽也有升有降○薛己曰上而至天下而至泉之藥也入足少陰手厥陰經○時珍曰香甜者性平辛辣

者性熱
別録曰治風水毒腫去惡氣○李珣曰主心腹痛霍亂中惡邪鬼疰氣清人神並宜酒煮服之諸瘡腫宜入膏中○大明曰調中補五藏益精壯陽暖腰膝止轉筋吐瀉冷氣破癥癖冷風麻痺骨節不任風濕皮膚瘙癢氣痢○元素曰補右腎命門○東垣曰補脾胃及痰涎血出於脾○完素曰益氣和神○時珍曰上熱下寒氣逆喘急大腸虛閉小便氣淋男子精冷○醫壘元戎曰同木香則治胞轉不通○本草彙言曰降氣温中之藥也

此藥得雨露清陽之氣最久其味辛其氣温其性堅結本體而金質者也善治一切衝逆不順之氣上而至天肺下而及泉腎故上氣壅者可降下氣逆者可和與諸藥為配最相宜也或濁氣不降清氣不升為病逆氣喘急或大腸虛閉小便不通或男子精寒婦人血冷大能調中利五藏壯元陽補腎命方書屢用有效然氣味辛温香竄治諸冷氣逆氣鬱氣結殊為專功如中氣虛勞氣不歸元者心鬱不舒由于火邪者命門眞火衰由于精耗血竭者俱忌用之前古謂能殺鬼邪解中惡清人

神消風水毒腫並宜酒煮服之此不過因其辛陽香散辟此陰凝不正之氣故也如病陰虛氣逆上者切忌○薛己曰行滯氣有細密之功調諸氣無耗散之失暖腰膝有壯陽之徵療風水有消毒之義最能降痰○本草徵要曰降氣要藥然非命門火衰不宜多用氣虛下陷者切勿沾脣

啓益按清來種類不一試之一片如針大許入水忽沉者為最上半浮半沉者為棧香不沉者為黃熟香皆次之藥店有稱真盤沉香者味苦辛氣厚其効亦次之是

宗奭所謂水盤香也　本邦有稱奇也羅者是濳確類書所謂奇南香也燔之則香氣輕清香中之最上也然不宜藥用近来修合奇應丸多用奇南香此方未考得中華之書疑　日東之醫方乎其爲方人参奇南香熊膽麝香金箔五味也豪富家修合之爲救急之備用五味共價貴富人喜奇而不厭貴故舎沈香而用奇南香不知其不如沈香之功可哂○雷斆曰勿見火

丁香　開寶本草

開寶曰辛温無毒○時珍曰熱○好古曰純陽入手足

太陰足少陰陽明經○雷斅曰畏鬱金
開寶曰温脾胃止霍亂壅脹風毒諸腫齒疳䘌能發諸
香○李珣曰風䘌骨槽勞臭殺蟲辟惡去邪治奶頭花
止五色毒痢五痔○大明曰治口氣冷氣冷勞反胃鬼
疰蠱毒殺酒毒消痃癖腎氣奔豚氣陰痛腹痛壯陽暖
腰膝○保昇曰療嘔逆○元素曰去胃寒理元氣○時
珍曰治虛噦小兒吐瀉痘瘡胃虛灰白不發○孫真人
曰療乾霍亂○濟衆方曰與柹蒂人参治傷寒呃逆○
德生堂方曰與木香治反胃關格○梅師方曰療崩血

治乳病○聖惠方曰納鼻中療息肉塗蝎螫○証治要訣曰解蟹毒○元素曰氣血盛者勿用

雷斆曰有雌雄雄者顆小雌者顆大即名母丁子方中多用雄須去丁蓋乳子發背癰也凡使勿見火

薄荷 唐本草

唐本草曰辛溫無毒○思邈曰苦辛平○元素曰涼浮而升陽也○薛已曰陽中之陰○好古曰手足厥陰氣分藥○嘉謨曰入手太陰經

唐本草曰賊風傷寒發汗惡氣心腹脹滿霍亂宿食不

消下氣療勞乏○甄權曰通利關節發毒汗去憤氣破
血止痢○士良曰療陰陽毒傷寒頭痛○日華曰治中
風失音吐痰○蘇頌曰主傷風頭腦風通關格及小兒
風涎○叔微曰止衄綿裹塞鼻○東垣曰清頭目○時
珍曰治瘡疥癮疹○孫真人曰辟邪毒除勞氣令人口
氣香潔又洗漆瘡○楊起曰清上化痰利咽膈○張果
曰塗火毒○明目經驗方曰薑製洗眼弦赤爛○嚴用
和曰治瘰癧與青皮陳皮黑牽牛貝母連翹荊芥肥皂
爲丸連翹煎湯下○王燾曰蜂蠆蚘傷挼貼水入耳中

滴入○李中南曰與蟬脫治風瘙○元素曰氣味俱薄浮而升故能去高巔及皮膚風熱○陳承曰能引諸藥入營衛故散風寒○宗奭曰小兒驚狂壯熱須此引藥又治骨蒸熱勞○好古曰能搜肝氣又主肺盛有餘肩背痛及風寒汗出○時珍曰辛能發散凉能清利故消風散熱○甄權曰病人新瘥勿服以其發汗虛表氣也瘦弱人久食之動消渴病○仲淳曰咳嗽因肺寒者陰虛發熱者脚氣類傷寒者血虛頭痛非同諸補血藥不可用小兒身熱由於傷寒者因疳積者痘疹氣虛者雖

身熱初起亦不可用

啓益按本邦薄荷種類多俗間稱金銀薄荷者其氣香竄即真也稱山薄荷蔓薄荷龍腦薄荷者其氣臭腥皆不可入藥也

荊芥 本經中品

本經曰辛溫無毒○元素曰辛苦氣味俱薄浮而升陽也○好古曰肝經氣分藥○時珍曰入足厥陰經○薛已曰入手太陰陽明經○李延飛曰反一切無鱗魚蟹河豚黃顙魚并驢肉

本經曰寒熱鼠瘻瘰癧生瘡破結聚氣下瘀血除濕疽○甄權曰治惡風賊風口面喎斜遍身𤸷痺心虛忘事益氣力添精辟邪毒氣除勞通血脉傳送五藏不足氣助脾胃治疔腫醋和封腫毒○曾公談録曰治中風口噤○藏器曰除勞渴冷風○士良曰主血風虛汗理脚氣筋骨煩疼及陰陽毒傷寒○日華曰消食下氣醒酒煎茶治頭風和豉汁治暴傷寒○好古曰搜肝氣○時珍曰利咽喉○龍樹居士曰治一切眼疾血勞風氣頭痛頭旋目眩○華陀方曰治産後中風口噤手足瘛瘲

如角弓或血運不省人事四肢強直心眼倒築吐瀉欲
死者○王晛指迷方曰治產後不知人事眠久及醒則
昏昏如醉者佐當歸煎服有奇効○戴原禮曰治產後
因怒發熱迷悶成痙者同當歸其効如神○　啓益按此
方諸書盛稱其妙許學士頻稱神靈之功予常治觸而
墮胎變痓病垂死者用此方百發百中○本草徵要曰
長于治風又兼治血何也為其入風木之藏即是血海
故並主之○本草新編曰荊芥本陽藥而非陰藥入陰
則行速入陽則行遲夫陽屬氣陰屬血血行遲而氣行

速荊芥入血而速者乃血行遲而若見荊芥之行速也荊芥入氣而遲者乃氣行速而若見荊芥之行遲也非荊芥走血分甚速走氣分獨遲也○楊士瀛曰治九竅出血○瀕湖曰與縮砂治尿血○梅師方曰燒存性少加麝香沸湯坐下治產後下痢此藥雖微能愈大病○千金方曰治項強作枕及鋪牀下○簡易方曰洗痔漏○東垣曰瘰癧胸前兩腋塊如茄子大至兩肩上潰爛四五年不能療者皆煎沸湯溫洗其効如神且以樟腦雄黃末麻油調拂上○本草徵要曰今人但遇風症槩

用荊防不知風在皮裏膜外者宜之非若防風入骨肉
也○本草彙言曰氣虛眩暈者老人腎傷虛而目昏流
淚者咸宜禁之

香薷 別録 中品

別録曰辛微溫無毒○仲淳曰可升可降陽也入足陽
明太陰手少陰經○雷斅曰服至十兩一生不得食白
山桃
別録曰治霍亂腹痛吐下散水腫○孟詵曰去熱風卒
轉筋止鼻衄○胡濙曰治四時傷寒不正之氣○時珍

曰主脚氣寒熱○葛洪曰治心煩脇痛並舌上出血○和劑方曰與厚朴扁豆治伏暑引飲口燥咽乾或吐瀉者○深師方曰與白朮治通身水腫○蕭京曰所謂善治諸水蓋水多主藏虚惟形氣未羸病在經府者深師薷朮丸用此可効但不漫一例視也○汪頴曰夏月代茶可無熱病調中温胃○千金方曰去口臭○薛巳曰蓋口臭者是脾有鬱火溢入肺中失其和美清升之意而濁氣上干故也時方多治暑邪而本經不言要之霍亂吐下必是因暑邪而作者耳○時珍曰世醫治暑病

以香薷為要藥然其證不一或有乘涼飲冷致陽氣為陰邪所遏遂病頭痛發熱惡寒煩躁口渴或吐或瀉或霍亂者宜用此藥若飲食不節勞役作喪之人傷暑大熱大渴汗泄如雨煩躁喘促或瀉或吐者乃勞倦內傷之証必用東垣清暑益氣湯人參白虎湯之類以瀉火益元可也若用香薷則重虛其表葢香薷解表之藥如冬月之用麻黃氣虛者尤不可多服而今人不知暑傷元氣不拘有病無病槩用代茶謂能辟暑真癡人前說夢也且其性溫不可熱飲反致吐逆飲者宜冷飲則無

拒格之患其治水之功果有奇效○本艸徵要曰夏月解表之劑無表邪者忌之

時珍曰八九月開花看穗時采之陰乾用勿犯火

丹溪曰以大葉者為良○時珍曰細葉者僅高數寸葉如落帚葉即石香薷也○啓益按大葉者和俗稱長刀香薷小葉者呼石香薷共用然大葉者力稍勝矣

麻黄　本經中品

本經曰苦温無毒○別録曰微温○呉普曰酸平○甄權曰甘○東垣曰陰中之陽○好古曰熱純陽○元素

曰味苦而甘辛氣味俱薄輕清而浮陽也升也手太陰
之藥入足太陽經兼走手少陰陽明經○仲淳曰禀天
地清陽剛烈之氣故本經味苦氣温詳其主應是太辛
之藥藥性論加甘亦應有之其味大辛氣大熱○之才
曰厚朴白薇為之使惡萆薢石韋
本經曰中風傷寒頭痛温瘧發表出汗去邪熱氣止欬
逆上氣除寒熱破癥堅積聚○別錄曰五藏邪氣緩急
風脇痛字乳餘疾止好唾通腠理解肌泄邪惡氣消赤
黒斑毒○甄權曰治身上毒風瘴痺皮肉不仁主壯熱

溫疫○大明曰通九竅調血脉開毛孔皮膚禦山嵐瘴氣○孫真人曰治傷寒黄疸表熱者療氣急久不瘥變成水病從腰以上腫者○子母秘錄曰治産後血滯○本草彙言曰與桂枝蜜炒佐紫蘇葉葱療痘瘡倒靨喘悶○仲景曰與甘草治黄腫與附子療水腫其脉沉者宜之與半夏治心下悸病○元素曰去營中寒邪洩衛中風熱○時珍曰乃肺經專藥故治肺病多用之張仲景治傷寒無汗用麻黄有汗用桂枝歷代明醫解釋皆隨文傅會未有究其精微者時珍常繹思之似有一

得與昔人所解不同云津液為汗汗即血也在營則為血在衛則為汗夫寒傷營營血內濇不能外通於衛衛氣閉固津液不行故無汗發熱而憎寒夫風傷衛衛氣外泄不能內護於營營氣虛弱津液不固故有汗發熱而惡風然風寒之邪皆由皮毛而入皮毛者肺之合也肺主衛氣包羅一身天之象也是證雖屬乎太陽而肺實受邪氣其證時兼面赤怫鬱欬嗽有痰喘而胸滿諸證者非肺病乎蓋皮毛外閉則邪熱內攻而肺氣膹鬱故用麻黃甘草同桂枝引出營分之邪達之肌表佐以

杏仁泄肺而利氣汗後無大熱而喘者加以石膏朱肱活人書夏至後加石膏知母皆是泄肺火之藥是則麻黃湯雖太陽發汗重劑實為發散肺經火鬱之藥也○東垣曰輕可去實麻黃葛根之屬是也六淫有餘之邪客於陽分皮毛之間腠理閉拒營衛氣血不行故謂之實二藥輕清成象故可去之○弘景曰根節夏月有汗雜牡蠣粉撲之○東垣曰其形中空散寒邪而發表其節中閉止盜汗而固虛○蕭京曰如麻黃葛根根節氣味索然果可療汗脫之重病乎即有他藥佐使亦屬贅

麁耳蓋汗為心之液主於氣陽密乃固則氣不外洩衛氣虛為自汗陰氣虛為盜汗雖有陰陽寒熱之殊多皆元氣脫越或虛憊不升耳當從此根蒂處察虛實治之倘未得其竅即参芪朮苓亦難為用矧茲二物乎○仲淳曰肺熱咳嗽氣虛發喘陰虛火炎並盜汗南方中風虛人傷風痘瘡倒靨不因寒邪所鬱共屬虛者及陽虛腠理不密之人並自春深夏月以至秋初所同禁常不可多服久服

弘景曰凡使去根節煮數沸焙乾用否則令人煩

細辛 本經上品

本經曰辛溫無毒○桐君曰小溫○李當之曰小寒○甄權曰苦辛○好古曰純陽○時珍曰陽中之陽○元素曰大辛熱氣厚于味陽也升也入足厥陰少陰血分為手少陰引經之藥○仲淳曰太陽經藥也○啓益按諸醫皆謂溫熱然李當之謂小寒者其味微苦之故也蓋此物辛烈而大熱所謂小寒者誤也○東垣曰獨活為之使○之才曰曾青桑根為之使惡黃芪狼毒山茱萸畏消石滑石反藜蘆○甄權曰忌生菜○日華子曰

忌狸肉
本經曰欬逆上氣頭痛腦動百節拘攣風濕痺痛死肌
久服明眼利九竅輕身長年○別録曰溫中下氣破痃
利水道開胸中滯結除喉痺齆鼻不聞香臭風癇癲疾
下乳結汗不出血不行安五藏益肝膽通精氣去口臭
○甄權曰療惡風去皮風濕痒風眼淚下除齒痛血閉
婦人血瀝腰痛○時珍曰逐滯氣散浮熱泄肺補肝起
倒睫通便溺○之才曰得當歸芍藥白芷川芎牡丹藁
本甘草療婦人得決明鯉膽羊肝共療目痛○仲淳曰

得甘草療傷寒少陰咽痛與石膏治胃熱齒痛○危亦林曰佐丁香柹蔕治虛寒嘔噦飲食不下吹鼻療暗風卒倒不省人事○王璽曰同桂心治客忤○陳言曰同黃連或黃蘗療口舌瘡○朱端章曰醋調貼臍治小兒口瘡○聖惠方曰熱含治口臭䘌齒吹鼻療息肉○龔氏方曰同黃蠟塞耳治耳聾○東垣曰治邪自裏之表故仲景少陰症配麻黃附子○景岳全書曰味辛甚故能逐陰分之邪且然陽分可知舊云少陰厥陰之藥然豈有辛甚而不入陽分者但陽症忌熱用當審之○宗

奭曰頭面風痛不可缺○元素曰香味俱細以獨活為使治少陰頭痛又辛熱能温陰經散水氣以去内寒○成無己曰行心下水氣而潤腎燥○張氏醫通曰辛能泄肺故風寒欬嗽上氣者宜之辛能補肝故驚癇眼目諸病主之辛能潤燥故通少陰諸經及耳竅閉塞者宜之又主痰結濕火鼻塞不利○薛己曰頭目諸症因火熱屬陽經者不可用○本草彙言曰其性升散發燥故凡病内熱及火炎上上盛下虚氣虚有汗血虚頭痛陰虚欬嗽法皆禁用即入風藥亦不可過用壹錢多則悶

塞不通昏暈如死以其氣味厚而性烈故耳○仲淳曰本經久服明目利九竅輕身長年者必無是理蓋升發之藥其可久服哉

雷斆曰凡使切去頭子以瓜水浸宿暴乾用雙葉者服之害人○　啓益　按浸米泔水下宿暴乾尤佳

蘇頌曰其根細而極辛今人以杜衡偽之○沈括曰極細而直柔軔深紫色味極辛習習有椒氣本草水浸令直是以杜衡偽之○　啓益　按本邦細辛種類居多甚亂之者杜衡是也細辛者莖柔而氣香葉圓而色翠狀

如小葵葉上無白點盒疏可愛其根纖長如髮不剛其色白嚼之則辛烈有胡椒氣是真細辛也近世藥肆所販者以杜衡偽之杜衡植家園其葉不圓而葉上有白斑點莖脆臭根粗而成團味少帶醋苦且有臊臭之氣漸嚼則辛而細者是也効力雖不及細辛其辛細之味能入少陰經散風寒下氣消痰止氣奔喘促破留血癧瘤之性自存代用亦可矣其醋苦臊臭皁用為嘰故同瓜蒂參蘆淡醋則飲水停滯者瘀血在胃口者痰氣哮喘者須吐之時　珍謂古方吐藥多以及巳當杜衡者誤

也然不惟及已而杜衡亦有吐効不可不知

滑石　本經上品

本經曰甘寒無毒○別録曰大寒○元素曰温○　啓益
按諸石藥形質堅剛故性多寒其謂温者以味甘淡形
柔輭而稠黏之故然今察其功能則悉備解實熱之驗
謂温者恐誤矣○好古曰入足太陽○仲淳曰入足陽
明手少陰太陽陽明經○薛已曰陽中之陰降也○之
才曰石葦為之使惡曾青制雄黄
本經曰主身熱洩澼女子乳難癃閉利小便蕩胃中積

聚寒熱益精氣久服輕身耐飢長年○別錄曰通九竅六腑津液去留結止渴令人利中○甄權曰除煩熱心燥療五淋偏主石淋治難産與丹參蜜猪脂滑胎○丹溪曰燥濕分水道實大腸化食毒行積滯逐凝血解燥渴補脾胃降心火○完素曰和甘草則解中暑傷寒疫癘并汗後遺熱勞後兼解兩感傷寒百藥酒食邪熱毒治五勞七傷一切虛損内傷陰痿驚悸健忘癇瘛煩滿短氣痰嗽肌肉疼痛腹脹悶痛淋閟濇痛療身熱嘔吐泄瀉腸澼下痢赤白胸中積聚寒熱止渴消畜水産後

損液血虛陰虛熱甚催生下乳治吹乳乳癰牙疳齒衄
此藥大養脾腎之氣益精氣壯筋骨和氣通經脈消水
穀保真元明耳目安魂定魄強志輕身駐顏益壽耐勞
役飢渴乃神驗之仙藥名益元散○好古曰利心竅以
通水道為至燥之藥○時珍曰利竅不獨小便也上能
利毛腠之竅下能利精溺之竅蓋甘淡之味先入于胃
滲走經絡遊溢津氣上輸于肺下通膀胱肺主皮毛為
水之上源膀胱司津液氣化則能出故滑石上能發表
下利水道為蕩熱燥濕之劑發表是蕩上中之熱利水

道是蕩中下之熱發表是蕩上中之濕利水道是燥中
下之濕熱散則三焦寧而表裏和濕去則闌門通而陰
陽利劉河澗之用益元散通治表裏上下諸病蓋此意
也○千金方曰與石膏治女勞疸○宗奭曰治暴得吐
逆不下食○叔微曰治傷寒衄血丸服湯晦叔云衄乃
當汗不汗所致其血紫黒時不以多少不可止之且服
温和藥調其營衛待血鮮時服此藥立効○楊子建乳
曰和車前葉汁塗臍四畔療小便不通○頻湖曰與煆
石膏枯礬摻之治陰下濕汗及脚指縫爛○王氏痘疹

方曰痘瘡狂亂循衣摸床大熱引飲用益元散加朱砂二錢氷片三分麝香一分每燈草湯下二三服立效○奇疾方曰與白礬同治熱毒怪病目赤鼻大脹喘急渾身出斑毛髮如鐵者是乃因中熱氣結于下焦故也○丹溪曰主產難滑胎無甘草以和者尤宜忌之○仲淳曰因陰精不足內熱小水澀少者由於陰虛火熾水涸者脾胃虛者雖作泄勿用○本草徵要曰多服精滑脾虛下陷者勿用

雷斆曰凡使以刀刮淨研粉以牡丹皮同煮一伏時去

丹皮以東流水淘過晒乾用○啓益按常用擇白色者刮去紫赤黑雜駁而水飛日晒乾用紫赤黑而味苦者有毒勿用

石膏　本經中品

本經曰辛微寒無毒○別録曰甘大寒○元素曰辛而淡氣味俱薄體重而沉陰也降也入足陽明經○東垣曰入手少陽○好古曰入手太陰陰中之陽也○薛已曰太陰之精配竹葉則入于心配知母則通于胃配黄連則入于三焦配黄芩知母則入于肺○之才曰雞子

爲之使惡莽草巴豆馬目毒公鬼臼異名畏鐵
本經曰中風寒熱心下逆氣驚喘口乾舌焦不能息腹
中堅痛除邪鬼產乳金瘡○別錄曰除時氣頭痛身熱
三焦大熱皮膚熱腸胃中結氣解肌發汗止消渴煩逆
腹脹暴氣喘息咽熱亦可作浴湯○甄權曰治傷寒頭
痛如裂壯熱皮如火燥和葱煎茶去頭痛○大明曰治
天行熱狂頭風旋○元素曰止陽明經頭痛發熱惡寒
日晡潮熱大渴引飲中暑潮熱牙痛○東垣曰除胃熱
肺熱散陰邪緩脾益氣○成無已曰風陽邪也寒陰邪

也風喜傷陽寒喜傷陰營衛陰陽爲風寒所傷則非輕劑所能獨散必須輕重之劑同散之乃得陰陽之邪俱去營衛之氣俱和是以大青龍湯以石膏爲使石膏乃重劑而又專達肌表也又云熱淫所勝佐以苦甘知母石膏之類是也○嘉謨曰治胃脘痛○叔微曰佐黃連甘艸治傷寒發狂○積德堂方曰共瀝青摻金瘡出血佐黃丹洗敷濕甚者加龍骨孩兒茶○初虞世曰治諸蒸病白虎湯加人參茯苓地黃葛根名五蒸湯○王燾曰治骨蒸勞病外寒内熱附骨而蒸其根在臟腑必因

患後得之四肢漸細足趺腫起水和服○時珍曰王氏
説此乃少壯肺胃火盛能食而病者言也若衰暮及氣
虛胃弱者恐非所宜○東垣曰石膏足陽明之藥也身
以前胃之經也胸前肺之室也邪在陽明肺受火制故
用辛寒以清肺氣所以有白虎之號又治三焦皮膚大
熱入手少陽也○孫兆曰四月以後天氣熱時宜用白
虎但四方氣候不齊歳中運氣不一亦宜兩審○東垣
曰立夏前多服白虎者令人小便不禁○仲淳曰傷寒
邪已結裏有燥糞往來寒熱宜下者勿用本經所謂産

乳金瘡更非其職宜詳察之○啓益按仲淳之言不然蓋乳病多屬陽明之實邪雖新産者用之除實邪則何妨之有焉古哲如治乳汁不下及乳癰等之病煎服而取効其言治金瘡者非内服而外治也故如金瘡出血及及瘡不收等之症外敷而見驗奚必言非其職而廢之乎

雷斅曰凡使擣成粉生甘草水飛過晒研用○時珍曰古法惟打研用近人煆過用或糖拌炒過則不妨脾胃○啓益按如傷寒實邪陽明實熱之病者宜生用如病

勢漸緩衰暮之人宜熟用

丹溪曰石膏周濟丹爐苟非有膏豈能為用正與石脂同意昔人妄以方解石為石膏蓋石膏味甘辛本陽明藥又入太陰少陽方解石止有體重質堅性寒而已○時珍曰有輭硬二種輭者大塊生於石中作層厚數寸硬者直理起稜如馬齒堅白擊之段段橫解古方所用寒水石是凝水石即今之石膏蓋古人輭者為寒水石硬者為石膏至丹溪始以輭者為石膏而後人遵用有驗千古之惑始明矣

大黄 本經下品

本經曰苦寒無毒○別録曰大寒○呉普曰有毒○東垣曰陰中之陰性走而不守入手足陽明經○時珍曰入足太陰手足厥陰經血分之藥○元素曰氣味俱厚沈而降陰也酒浸入太陽經酒洗入陽明經餘經不用酒○之才曰黄芩為之使○甄權曰忌冷水惡乾漆

本經曰下瘀血血閉寒熱破癥瘕積聚留飲宿食蕩滌腸胃推陳致新利水穀調中化食安和五臟○別録曰平胃下氣除痰實腸間結熱心腹脹滿女子寒血閉脹

小腹痛諸老血留結○甄權曰治時疾煩熱療小兒寒熱利水腫蝕膿○大明曰通宣一切氣調血脉利關節療温瘴熱瘧○元素曰瀉諸實熱不通除下焦濕熱○時珍曰療黃疸○王肅曰蜜醋製爲丸治痞塊○集簡方曰酒浸治熱痢裏急○叔微曰與生地黄治風蟲牙痛口臭○本草彙言曰與硼砂山豆根貝母治胃火痰涎喉閉頰腫牙痛○仲景曰佐黃連黃芩治心氣不足吐血衄血佐黃連治傷寒痞滿與巴豆乾薑蜜丸治心腹諸暴百病凡卒中客忤停尸氣急者佐甘草治胸中

有火而食已即吐○宗奭曰仲景治心氣不足吐血衄血用瀉心湯者邪熱因不足而客之令然以苦泄熱以苦補心蓋一舉而两得之○丹溪曰瀉心湯者本經之陰血妄行飛越故用大黄瀉去亢甚之火且肺者陰之主肝者心之母血之合故用芩連退肺肝之火則陰血復其舊而平和寇氏不明說奚得仲景之意○成無已曰熱淫所勝以苦泄之大黄之苦以蕩滌瘀熱下燥結而泄胃強○時珍曰五經血分之藥若在氣分用之是謂誅伐無過矣瀉心湯乃治真心之氣不足胞絡肝脾

與胃邪火有餘雖曰瀉心實瀉四經血中之伏火也大黃黃連瀉心湯乃病發于陰而反下之則為痞滿寒傷營血邪氣乘虛結于上焦胃之上脘在于心故曰瀉心實瀉脾胃之濕熱也病發于陽而反下之則成結胸用大陷胸丸亦瀉脾胃血分之邪也若結胸在氣分則只用小陷胸丸痞滿在氣分則只用半夏瀉心湯成氏註釋未能分別此義○蕭京曰葛可久武勇絕倫挽百石大弓病內傷治用大黃八兩其子憚其峻厲陰減半病不盡獨可久曲詢始知其故曰吾明年當死矣至期果

歿此又病有輕重不得以毒藥衰其大半而論也○本草彙言曰凡病在五藏腸胃之間痰血食飲有形之物及天行君火之邪銷鑠津液壅閉藏府或傷寒溫病熱病實熱熱結中下二焦二便不通諸症咸宜用之○啓益顧大黃味苦寒有毒性酷烈而蕩滌腸胃之實熱推陳致新戡定過亂而歸太平故有將軍之稱遍宣諸氣調血脉以利關節其功駿快故有火参之號是以本經所謂無毒而調中安和五藏益瀉實熱則真氣還元五藏自安和之義也張仲景用承氣湯也雖其腹大滿不

用至大實亦未用至大堅而後用之下燥糞逐去實熱方中有大黃也梁僧坦療武帝與元帝之病而與其用反衆醫之見古人用毒藥攻病必隨人之虛實而處置非輕用然一切實熱病多誤治於緩緩耳急則治其標有故則無損先瀉其實而後補其虛則萬舉萬全世醫不能通曉此義用一毒藥而偶中則此方神奇其差誤則不言用藥之失而歸罪於毒藥弃捐如芥益補藥之過徐徐而至瀉藥之害急急而至自非灼見明知審取捨奚必達其義乎不啻醫藥世間百事亦如此多適從

平平穩穩底耳如朱文公六君兼氣之譬諭豈可誣乎諺曰毒藥能治病而不殺人信哉此言乎○本草彙言曰凡病在氣分及胃寒血虛并妊娠產後及久病年高之人並勿輕用○景岳全書曰氣虛同以人參名黃龍湯血虛同以當歸名玉燭散佐甘草桔梗可緩其行佐以芒硝厚朴益助其銳用之多寡酌人虛實誤用與鴆相類

藏器曰凡用有蒸有生有熟不得一槩用之○陳承曰采時皆以火石礦乾貨賣更無生者用之亦不須炮煮

○東垣曰性峻下用之于下必生用欲使上行須酒浸達巔頂驅熱而下若邪氣在上而用生者則遺邪熱愈後必目赤喉痹頭腫膈熱之疾生也

時珍曰紫地錦文者為最狀似羊蹄者名土大黃勿用

○啓益按近世清來一塊如拳切之有紫地錦文者為最上本草稱穿眼大黃者是也有片者本草稱牛舌大黃者是也近　本邦醫家者流多識草木形狀故辨此地產真大黃藥肆多以羊蹄根假之不可不擇

黃蘗　本經上品

本經曰苦寒無毒○元素曰氣味俱厚沉而降陰也又云苦厚微辛陰中之陽入足少陰經為足太陽引經藥○仲淳曰以柴胡引之則入膽以黃連葛根升麻引之則入腸胃及脾經○之才曰惡乾漆伏硫黃

本經曰主五藏腸胃中結熱黃疸腸痔止洩痢女子漏下赤白陰傷蝕瘡○別録曰療驚氣在皮間肌膚熱赤起目熱赤痛口瘡久服通神○藏器曰熱瘡皰起蟲瘡血痢止消渴殺注蟲○甄權曰男子陰痿及傳莖上瘡治下血如鷄鴨肝片者○大明曰安心除勞治骨蒸洗

肝明目多淚口乾心熱殺痔蟲治蚘心痛鼻衄腸風熱腫痛○元素曰瀉膀胱相火補腎水不足壯骨髓利下竅療下焦虛諸痿癱瘓濕腫腹中痛痢疾先見血○東垣曰治衝脉氣逆療諸瘡痛不可忍○葛洪曰煎漬治傷寒遺毒酒和傳之治咽喉卒腫飲食不通○龍木論曰根蒸洗時行目疾○東垣曰酒洗佐知母豬苓澤瀉治小便不通而口渴者此邪熱在氣分肺中伏熱不能生水法當用氣味薄淡之藥瀉肺火而清肺金滋水之源又佐知母加肉桂治邪熱在下焦血分不渴而小便

不通者素問所謂無陰則陽無以生無陽則陰無以化膀胱者津液藏焉氣化則能出矣法當用氣味俱厚陰中之陰藥治之黃蘗知母是也○好古曰黃芩梔子入肺黃連入心黃蘗入腎腎苦燥故腎停濕也燥濕所歸各隨其類也故活人解毒湯乃上下内外並可治之○元素曰黃蘗之用有六瀉膀胱龍火一也利小便結二也除下焦之濕腫三也痢疾先見血四也臍中痛五也補腎不足壯骨髓六也○丹溪曰走至陰非陰中之火不可用火有二君火者可以水滅之可以直折黃連之

屬可以制之相火者不可以水濕折之惟黃蘗之屬可以降之○薛己曰味辛性寒走少陰而瀉火今人謂補腎非也特以腎家火旺尺脈盛而為身熱為眼痛為喉痺諸疾者用其瀉火則腎亦堅固而無狂蕩之患矣誠有補腎之功哉故腎家無火而尺脈微弱或左尺獨旺者皆不宜內經強腎之陰熱之猶可此又不可不知○時珍曰古書言知母佐黃蘗滋陰降火有金水相生之義黃蘗能制膀胱命門之火知母能清肺金滋腎水之化源○葉氏醫學統旨曰四物湯加黃蘗知母久服傷

胃不能生陰○仲淳曰凡脾虛食少或嘔或瀉或好熱惡冷小腹冷痛或腎虛五更泄瀉小便不禁陽虛發熱瘀血停止金瘡癰疽傷食產後等疾有發熱之症或陰虛小水不利痘後脾虛血虛煩燥不眠等症法當咸忌之

雷斅曰蜜浸炙用○元素曰酒制治上焦單制治中焦不制治下焦○時珍曰生用降火熟用則不傷胃蜜制則治中焦鹽制則治下焦○啓益按常用去外褐麄糙微炒佳○禹錫曰皮堅厚鮮黃者為上

木通　本經
中品

本經曰辛平無毒○別錄曰甘○雷公曰苦○甄權曰微寒○海藥本草曰溫○東垣曰甘而淡平味薄降陽中陰也○時珍曰今之木通有紫白二色紫者皮厚味辛白者皮薄味淡本經言味辛別錄言味甘是二者皆能通利也○　啓益按木通味不辛不苦惟淡而微甘平須因循東垣之說○時珍曰入手厥陰手足太陽經○仲淳曰入手足少陰經

本經曰除脾胃寒熱通利九竅血脈關節令人不忘去

惡蟲○別録曰療脾疽常欲眠心煩噦出音聲治耳聾
散癰腫諸結不消及金瘡惡瘡鼠瘻踒折齆鼻息肉墮
胎去三蟲○甄權曰治五淋利小便開關格治多睡主
水腫浮大○士良曰理風熱小便數急疼小腹虛滿○
孟詵曰利諸經脉寒熱不通之氣○大明曰止渴退熱
明耳目治鼻塞破積聚血塊排膿治瘡癤止痛催生下
胞女人血閉月候不匀天行時疾頭痛目眩羸劣乳結
及下乳○藏器曰利大小便令人心寛下氣○李珣曰
主諸瘻瘡喉痺咽痛○東垣曰通經利竅導小腸火能

助西方秋氣下降利小便專瀉氣滯凡犀瀉琥珀車前子之類與之同○時珍曰上能通心消肺治頭痛利九竅下能泄濕熱利小便通大腸治遍身拘痛○錢乙曰與生地黃炙甘草水竹葉名導赤散治熱尿赤面赤唇乾咳牙口渇○時珍曰本經及別録皆不言及利小便治淋之功甄權日華始發揚之蓋其能泄丙丁之火則肺不受邪能通水道水源既清則津液自化而諸經之濕與熱皆由小便泄去故古方導赤散用之亦瀉南補北扶西抑東之意○仲淳曰性通利精滑氣弱內無

濕熱及妊娠者均忌

蘇頌曰有紫白二色俗間所謂通草為通脱木也古方所用通草今之木通也或以木通為葡萄苗非矣○本草徵要曰色白梗細者佳○啓益按今見清來木通即葡萄藤而非真物 本邦稱阿計比者真木通也若論真假則 本邦者真而清來者僞物也若論疏通之功則彼是相伴而須通用因蘇頌時珍之說則清來者非真物惟同疏通之功而已矣有木通全功乎不必如用本邦者

澤瀉 本經上品

本經曰甘寒無毒○別録曰鹹○甄權曰苦○元素曰平沈而降陰也○時珍曰甘淡氣味俱薄○好古曰陰中微陽入足太陽少陰○之才曰畏海蛤文蛤

本經曰風寒濕痺乳難養五臟益氣力肥健消水久服耳目聰明不飢延年輕身面生光能行水土○別録曰補虚損五藏痞滿起陰氣止洩精消渴淋瀝逐膀胱三焦停水○大明曰主難產補女人血海令人有子○元素曰入腎經去舊水養新水利小便消腫脹滲洩止渴

○東垣曰去脬中留垢心下水痞○時珍曰滲濕熱行痰飲止嘔吐瀉利疝痛脚氣○夏子益曰治瘡後怪病○保命集曰得白朮茯苓療水濕腫脹○經驗方曰與皂莢治腎藏風瘡○好古曰本經云久服明目扁鵲云多服昏目何也易老曰去留垢以其味鹹能瀉伏水故也瀉伏水去留垢故明目小便利腎水虚故昏目○宗奭曰張仲景治水畜渴煩小便不利或吐或瀉五苓散主之方用澤瀉故知其長於行水張仲景八味丸用之者亦不過引接桂附等歸就腎經別無他意○王安道

曰寇宗奭之說在好古趣之切謂八味丸以地黃爲君
餘藥佐之非止補血兼補氣也所謂陽旺則能生陰血
也地黃山茱萸茯苓牡丹皮皆腎經之藥附子肉桂乃
右腎命門之藥皆不待澤瀉之接引而后至也則八味
丸之用此蓋取其瀉腎邪養五藏益氣力起陰氣補虚
損五勞之功而已雖能瀉腎從諸補藥群衆之中則
亦不能瀉矣○本草彙言曰甘淡微鹹有固腎治水之
功然與猪苓所治則一而所用又有不同者葢猪苓利
水能分泄表間之邪澤瀉利水能宣通內藏之濕但此

劑入腎經能瀉膀胱邪氣故八味丸腎氣丸用此不惟接引諸藥入腎經亦可運地黃茯苓山藥之滯古人用補藥必兼瀉邪邪去則補藥得力一闔一開此乃玄機妙理也○又曰澤瀉利水之主藥人皆知利水矣丹溪又謂能利膀胱包絡有火病癃閉結脹者火瀉則水行利水則火降矣水火二義並行不悖○扁鵲曰多服病人眼○薛己曰六味丸用之者以其滲脾濕退腎火為向導耳下虛人不宜服之本草稱其補虛明目恐皆非也

猪苓　本經　中品

本經曰甘平無毒○呉普曰苦○甄權曰微熱○元素曰氣味俱薄升而微降與茯苓同○東垣曰淡甘降也陽中之陰也○好古曰入足太陽足少陰

本經曰治痎瘧解蠱毒疰不祥利水道久服輕身耐老○甄權曰解傷寒温疫大熱發汗主腫脹腹滿急痛○元素曰治渴除濕去心中懊憹○東垣曰苦以泄滯甘以助陽淡以利竅故能除濕利小便○時珍曰治淋腫脚氣白濁滯下胎腫○好古曰瀉膀胱○仲景曰與茯

苓澤瀉滑石阿膠治傷寒邪在藏○薛己曰今之泄瀉
藥俱用五苓散皆謂脾胃之濕賴猪苓澤瀉以去之以
為脾胃藥也不知二味消水固能燥脾水盡則反損腎
昏目○時珍曰與茯苓雖同功入補藥不如茯苓○潔
古曰淡滲大燥亡津液無濕症者勿服

車前子 本經上品

本經曰甘寒無毒○別錄曰鹹○甄權曰平○薛巳曰
入手太陽足厥陰○大明曰常山為之使
本經曰治氣癃止痛利水道除濕痺久服輕身耐老○

別録曰男子傷中女子淋瀝不欲食養肺強陰益精令人有子明目療赤痛○甄權曰去風毒肝中風熱毒風衝眼赤痛障翳腦痛涙出壓丹石毒去心胸煩熱○蕭炳曰養肝○陸機曰治難産○好古曰能利小便而不走氣與茯苓同功○葛洪曰治石淋○陳自明曰滑胎○孫真人曰治陰冷入囊腫滿悶疼及癮瘮入腹體腫舌強○聖恵方曰與乾地黄麥門冬治内障與黄連治風熱目暗○和劑方曰與地黄兎絲子補虚明目○時珍曰導小腸熱止暑濕瀉利太抵入服藥須佐他藥如

六味丸用澤瀉可也若單用則泄太過恐非久服之物歐陽公常得暴下病國醫不能治夫人買市人藥一貼進之而愈力叩其方則車前子一味為末米飲服二錢匕此藥利水道而不能動氣水道利則清濁分而穀藏自止矣○薛己曰佐甘草稍除莖中濁痛配兎絲枸杞子之類能滋腎補陰壯陽非止利水而已○本草彙言曰繆仲淳曰前陰屬肝木疎泄之竅也氣化則溺自出情動則精乃行氣閉火鬱溺自停矣芣苡之子寒降下行若車行而前孰不開讓何溺之不自出乎疎泄之義

明矣設情動過節膀胱虛氣艱于化而津不行溺不出者單用車前疎泄閉愈甚矣必加參苓甘麥養氣節欲則津自行溺乃出也○本草新編曰孕婦宜戒嫌其過滑以墮胎也曰車前子利水而不耗氣氣既不耗又何能墮胎惟是過于利水用車前子未免氣不耗而胎嫌太乾恐有難于生產之虞然古之婦人采芣苡以滑胎者乃取之備臨產之用非恃之易產而日日常飲也然則孕婦因小便不利偶一用之何損于胎乎竟戒絕只不服豈知車前乎○明醫雜録曰服固精藥久服此

行房則有子○本草徵要曰陽氣下陷腎氣虛脫勿入

車前子

龍膽 本經中品

本經曰苦濇大寒無毒○元素曰苦寒氣味俱厚沉而降陰也足厥陰少陰氣分之藥○之才曰貫衆小豆爲之使惡地黃防葵

本經曰治骨閒寒熱驚癇邪氣續絶傷定五藏殺蠱毒○別錄曰除胃中伏熱時氣温熱熱泄下痢去腸中小蟲益肝膽氣止驚惕久服益智不忘輕身耐老○甄權

曰治小兒壯熱骨熱驚癇入心時疾熱黃癉腫口乾◯大明曰客忤疳氣熱狂明目止煩治瘡疥◯蘇頌曰山龍膽治四肢疼痛◯姚僧坦曰治尿血◯集簡方曰療咽喉痛◯刪繁方曰與苦參和牛膽則治穀疸與梔子和豬膽則治勞疸◯好古曰益肝膽之氣而泄火◯又曰廣筆記曰治陰囊發痒瘙之濕潤不乾漸致囊皮乾澀愈痒愈瘙漸成風癬用劉寄奴五倍子為使加樟腦水煎浸洗◯元素曰其用有四除下部風濕一也治濕熱二也臍下至足腫痛三也寒濕脚氣四也下行之功

與防已同酒浸則能上行外行以柴胡為主龍膽為使治眼中疾必用之藥○東垣曰退肝經邪熱除下焦濕熱腫瀉膀胱火○本草彙言曰味大苦性寒善攻一切實熱火證故別錄主散目赤去眵膜退脚氣消黃疸利小便化赤濁療疳疾解諸瘡有徹上徹下之妙也竊思相火寄有膽肝有瀉無補古方以龍膽益肝膽之氣者正以其能瀉肝膽之邪熱也肝膽之邪熱退則他如病熱極生風而為驚搐癲痓蠱毒蟲積瘟疫熱痢諸疾可一劑而除矣○時珍曰大苦大寒過服恐傷胃中生發

之氣反助邪火別錄久服輕身耐老恐不足信○陳延
釆曰苦寒代標宜暫不宜久如聖世不廢刑罰所以佐
德意之無窮苟非氣壯實熱之症卒爾輕投其取敗也
必
雷斆曰銅刀判細茸草湯浸一宿乾用○醫益按凡使
細切微炒用欲下行則生用佳

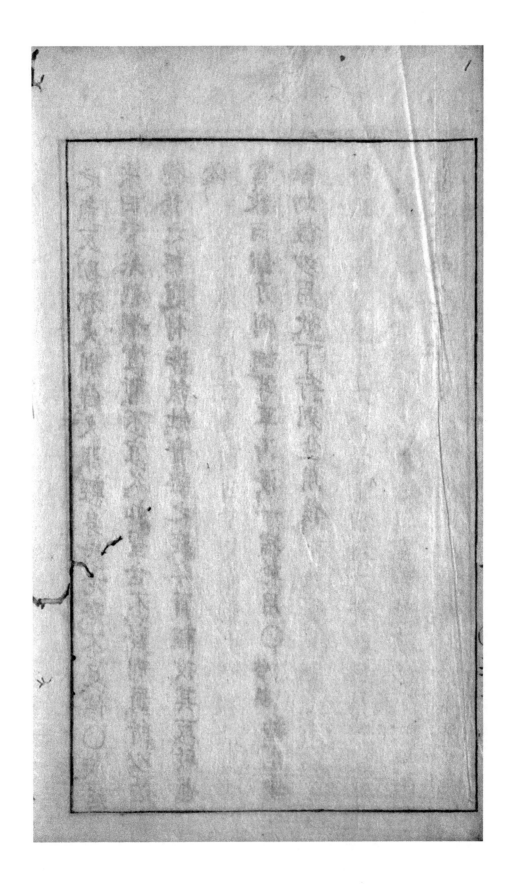

特1
1916

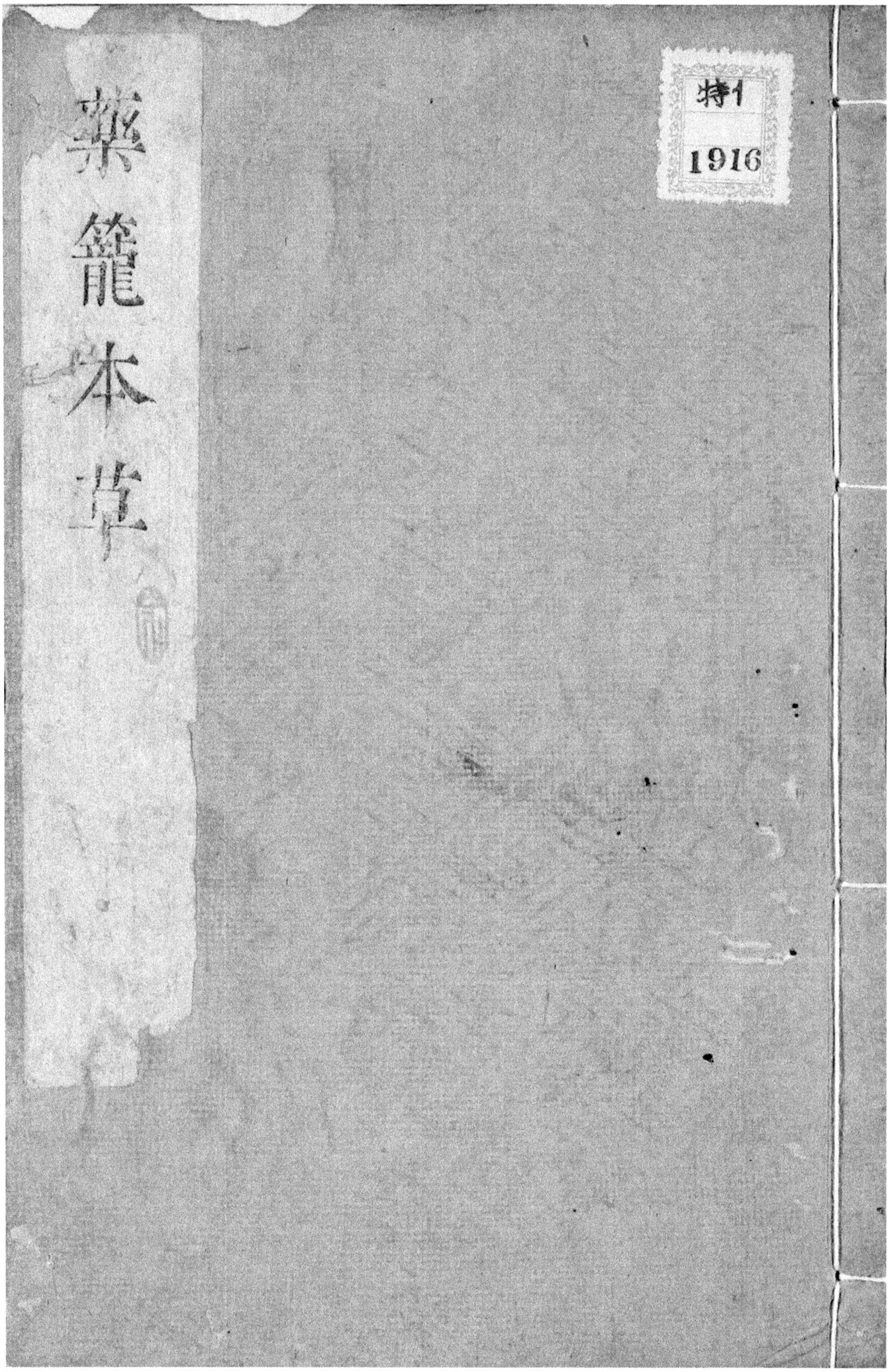
藥籠本草
特1
1916

藥籠本草卷之下 末

知母 本經中品

本經曰苦寒無毒○大明曰苦甘○甄權曰平○元素曰味大辛苦氣寒陰中微陽腎經本藥入足陽明手太陰氣分○時珍曰得黃蘗及酒良能伏鹽及蓬砂
本經曰治消渴熱中除邪氣肢體浮腫下水補不足益氣○別錄曰療傷寒久瘧煩熱脇下邪氣膈中惡及風汗內疸○甄權曰治心煩燥悶骨熱勞往來產後蓐勞腎氣勞憎寒虛煩○大明曰治傳尸疰痛通小腸消痰

止嗽潤心肺安心 止驚悸○元素曰涼心去熱治陽明火熱瀉膀胱腎經火熱厥頭痛下痢腰痛喉中腥臭○好古曰瀉肺火滋腎水治命門相火有餘○集驗方曰安胎止子煩○仲淳曰與黄蘗車前子木通天門冬甘草治強陽不痿者○東垣曰其用有四瀉無根之腎火療有汗之骨蒸止虚勞之熱滋化源之陰仲景用此入白虎湯治不得眠者煩躁也煩出於肺躁出於腎君以石膏佐以知母之苦寒以清腎之源緩以甘草粳米使不速下也又凡病小便閉塞而渴者熱在上焦氣分肺

中伏熱不能生水膀胱絶其化源宜用氣薄味薄淡滲之藥以瀉肺火清肺金而滋水之化源若熱在下焦血分而不渴者乃真水不足膀胱乾涸乃無陰則陽無以化法當用黄蘗知母大苦寒之藥以補腎與膀胱使陰氣行而陽自化小便自通也○本草新編曰或問知母瀉腎有補而無瀉不可用知母宜也若用之以瀉胃似可當用何吾子亦謂止可暫用乎曰胃火又何可常瀉也五臓六府皆仰藉于胃胃氣存則生胃氣亡則死胃中火盛恐其消爍津液用石膏知母以救胃非瀉胃

也然而石膏過于峻削知母過于寒涼胃火雖救而胃土必傷故亦宜暫用以解氣斷不宜常用以損氣也又曰知母暫用何以相宜久用何以甚惡是瀉火止可言救腎不可言補腎也又曰知母黄蘗用之于六味丸中丹溪之意以治陰虚火動也然失火有餘因水之不足也補其水則火自息矣丹溪徒知陰虚火動之義而加入二味使後人膠執而專用之或致喪亾非所以救天下也〇蕭京曰丹溪以知母黄蘗為補陰之用未免遺議千古欲滋生精血不外温養陽氣斟培土毋蕃息日

昌至精盈血裕真陰復盛而假熱虚火不撲自滅若檗投以知蘗之屬是陰血未生脾陽先敗假熱愈熾法窮身殆此非補陰乃賊陰也丹溪一代名哲也而乃不察病本混同立論遺害生民良可慨已○ 啓益 按蕭京士鐸之論精細然如弘景治產後蓐勞及腎氣勞如東垣治熱在下焦血分而小便不通者二公豈不知虚火乎故如補陰劑中少加知蘗如補陽劑中亦少加之則何害之有是以東垣用補中益氣湯加生蘗丹溪用六味丸加炒蘗知母者有意味而存矣○本草徵要曰性陰

寒不宜多服近世理勞尊爲上品往往致泄瀉而斃腎
虛陽痿脾虛溏洩不思食不化食者皆不可用

秦艽　本經中品

本經曰苦平無毒○別録曰辛微温○大明曰冷○元
素曰苦辛微温陰中微陽可升可降入手陽明○時珍
曰兼入肝膽經○之才曰菖蒲爲之使畏牛乳
本經曰治寒熱邪氣寒温風痺肢節痛下水利小便○
別録曰療風無問久新通身攣急○大明曰傳尸骨蒸
治疳及時氣○甄權曰牛乳點服利大小便療酒疸解

酒毒去頭風○元素曰除陽明風濕及手足不遂口噤牙痛口瘡腸風瀉血養血榮筋○好古曰泄熱益膽氣○時珍曰治胃熱虛勞發熱○聖惠方曰治小兒便難腹滿又共炙甘草鹿角膠糯米治胎動不安○集驗方曰共牛膝治發背疑似者○仲淳曰與薏苡仁木瓜五加皮黃蘗蒼朮牛膝治下部濕熱或生濕瘡○本草彙言曰統為陽明一經之病也蓋陽明有濕則身體煩疼陽明有熱則日晡潮熱骨蒸陽明有風則腸澼痔血寒熱淋帶秦艽專入陽明故盡能去之○本草徵要曰長

養血故能退熱舒筋治風入胃祛濕熱故小便利而黄疸愈也○仲淳曰下部虚寒人及小便不禁者勿服雷斅曰以布拭去黄白毛乃用還元湯浸一宿日乾用○啓益按浸米泔水一宿去黄白毛及蘆剉日乾用或浸酒晒用亦良

牛膝　本經上品

本經曰苦酸平無毒○李當之曰温○時珍曰足厥陰少陰之藥○仲淳曰味厚氣薄走而能補性善下行○之才曰惡螢火龜甲陸英畏白前忌牛肉

本經曰治寒濕痺四肢拘攣膝痛不可屈伸逐血氣傷熱火爛墮胎久服輕身耐老○別録曰療傷中少氣男子陰消老人失溺補中續絶益精利陰氣塡骨髓止髪白除腦中痛及腰脊痛婦人月水不通血結○甄權曰治陰痿補腎助十二經脉逐惡血○大明曰治膝腰軟怯冷弱破癥結排膿止痛産後心腹痛并血運落死胎○好古曰補肝藏風虚○外臺秘要曰治老瘧積久不止者○千金方曰療婦人陰痛○本草彙言曰酒煎治婦人腹堅金瘡作痛生搗敷之○熊氏補遺曰喉痺乳

哦共艾葉搗和人乳灌鼻中○延年方曰與冬葵子同治胞衣不出○臨汀集要曰老人久苦淋疾服牛膝而愈人患血淋流下小便在盆内凝如蒟蒻一村醫用牛膝根煎濃湯日飲五服名地髓湯雖未即愈而血色漸淡久乃復舊因檢本草肘後方治小便不利莖中痛欲死用牛膝并葉酒煑服之今再拈出表其神効○陳自明曰生胎欲去者以獨根土牛膝塗麝香插入牝户中隨而落服之亦良○蕭京曰諸家本草歷稱其補肝腎壯筋骨益氣力之功但賦性苦潤專泄而不專收力優

于破瘀血下生胎消惡毒利水通淋在治實症者宜之若云補愚以為不然也夫所謂壯筋骨益氣力者蓋由風毒犯足濕熱傷下病從外得因而痿軟用此拔毒導濕則筋骨復常若肝血虛腎精竭而筋骨自痿此病從內傷即勤峻補猶嫌不足豈可用牛膝而益虛其虛乎雖瀕湖有云大都熟用則補肝腎生用則破滯血此語亦未見妥唯丹溪產後忌之義可見矣◎本草徵要曰牛膝主用多在肝腎下部上焦藥中勿入氣虛下陷血崩不止者勿用◎本草彙言曰經閉未久疑似有娠者

勿用胃寒脾瀉者勿用

杜仲 本經上品

本經曰辛平無毒○別録曰甘温○甄權曰苦煖○元素曰性温味甘辛氣味俱薄沈而降陰也○東垣曰陽也降也○仲淳曰是甘辛勝而苦次之温煖多而平為劣也氣薄味厚陽中陰也入足少陰兼入足厥陰○之才曰惡玄參蛇脫皮

本經曰治腰膝痛補中益精氣堅筋骨強志除陰下癢濕小便餘瀝久服輕身耐老○別録曰脚中酸疼不欲

踐地◯大明曰治腎勞腰脊攣◯甄權曰虛而身強直風也腰不利加而用之◯東垣曰能使筋骨相著◯好古曰潤肝燥補肝經風虛◯簡便方曰同續斷山藥治頻慣墮胎◯談藪曰一少年新娶後得腳軟病且疼甚醫作腳氣治不效孫琳診之用杜仲一味每以一兩用半酒半水煎服三日能行三日全愈琳曰此乃腎虛非腳氣也以酒行之則為效容易矣◯本草彙言曰凡下焦之虛非杜仲不補下焦之濕非杜仲不利膝腰之疼非杜仲不除足脛之痠非杜仲不去然色紫而燥質綿

而韌氣温而補補肝益腎誠為要劑如肝陽虚而有風
濕病者以鹽酒浸炙為効甚捷又曰盧不遠曰杜仲從
壬從中其色褐為土尅水象腎之用藥也腰本腎府濕
土為害必侵腎水而腰先受之據名據色可以療也若
象形如絡如綿能使筋骨相着又一義矣○仲淳曰腎
藏精而主骨肝藏血而主筋二經虚則腰脊痛而精氣
乏筋骨軟而腳不能踐地也腎苦燥急食辛以潤之肝
苦急急食甘以緩之杜仲辛甘具足正能解肝腎之所
苦而補其不足者也強志者腎藏志益腎故也除陰下

癢濕小便餘瀝者祛腎家之濕熱也益腎補肝則精血自足故久服能輕身耐老其補中者肝腎在下臟中之陰也陰足則中亦補矣

威靈仙　開寶本草

開寶曰苦温無毒○元素曰苷純陽入太陽經○東垣曰可升可降陰中陽也○時珍曰微辛鹹不苦忌茗麪湯

開寶曰主諸風宣通五藏去腹內冷滯心膈痰水久積癥瘕痃癖氣塊膀胱宿膿惡水腰膝冷疼療折傷久服

無有溫疫瘧○東垣曰推新舊積滯消胸中痰唾散皮膚大腸風邪○簡便方曰酒調治脚氣入腹脹悶喘急○易簡方曰與獨蒜香油同搗酒服治破傷風○蘇頌曰周君巢威靈仙傳云去衆風通十二經脉朝服暮效宣疎五藏冷膿宿水變病微利不瀉人服此四肢輕健手足微煖並得清涼先時商州有人病手足不遂不履地者數十年良醫殫技莫能療所新置之道旁以求救者新羅僧見之告曰此病一藥可治但不知此土有否因為之入山求索果得乃威靈仙也使服之數日能步

履此藥治丈夫婦人中風不語手足不遂口眼喎斜言語蹇滞筋骨節風遶臍風胎風頭風暗風心風風狂大風皮膚風痒白癜風熱毒風瘡頭旋目眩手足頑痺腰膝疼痛久立不得曽經損墜臂腰痛腎臟風壅傷寒瘴氣憎寒壯熱頭痛涕流黄疸黒疸頭面浮腫腹内宿滞心頭痰水膀胱宿膿口中涎水冷熱氣壅肚腹脹滿好喫茶滓心痛注氣膈氣冷氣攻衝脾肺諸氣痰熱咳嗽氣急坐臥不安氣衝眼赤攻耳成膿陰汗盗汗大小腸秘澁此立通氣痢痔疾瘰癧疥癬婦人月水不來動經

多自氣血衝心產後秘塞孩子無辜瘡皆治之○蕭京曰性疎利方家盛稱其善療諸風癲瘈宜毒功能不可盡殫愚亦以為大誤也若病非實症從外得者不可輕餌也故本草綱目有云此物能疎人真氣稍涉虛者宜禁之意可知矣大凡一藥俱補瀉兩性只宜于實不宜于虛只宜暫用不宜久服人知其瀉之有功而不知其補之無能殊昧扶羸之理益彰通治之害

鈎藤鈎 別錄 下品

別錄曰甘微寒無毒○甄權曰甘平○保昇曰苦○時

珍曰初微甘後微苦平
別録曰治小兒寒熱十二經驚癎○甄權曰治小兒驚啼瘈瘲熱擁客忤胎風○時珍曰大人頭旋目眩平肝風除心熱主小兒内釣腹痛○聖濟録曰同消石炙甘草為散治小兒驚熱○錢仲陽曰共紫草為末治斑疹不快○時珍曰手足厥陰藥也足厥陰主風手厥陰主火驚癎眩運皆肝風相火之病釣藤通心胞○啓益按入手足厥陰經益厥陰經在于委曲窟折之處釣藤其刺曲如鈎同氣相求能通行厥陰窟曲之經故治中風

口眼喎斜手足拘攣脚氣入腹急痛疝氣入腎丸引痛療小兒驚癇天釣直視產後瘈瘲及小產後天釣痓病垂死者與補血補氣之藥同用其妙不可言○本草彙言曰但久煎便無力俟他藥煎十餘沸投入即起頗得力也

時珍曰狀如葡萄藤而有鈎紫色古方多用皮后世多用鈎取其力銳爾○本草彙言曰去梗純用嫩鈎功力十倍也

茴香 唐本草

唐本草曰辛平無毒○孫真人曰苦辛微寒濇○好古曰陽也浮也入手足少陰太陽經
唐本草曰主諸瘻霍亂及蛇傷○馬志曰治膀胱胃間冷氣及育腸氣調中止痛嘔吐○大明曰治濕脚氣腎勞㿉疝陰疼開胃下氣○呉綬曰暖丹田○東垣曰補命門不足○直指方曰用八角及小茴香加乳香治小腸氣墜及疝積引痛○千金方曰擣末傳蛇咬久潰○好古曰本治膀胱藥也以其先丙故曰小腸也能潤丙燥以其先戊故從丙至壬又手足少陰二藥以開上下

經之通道所以壬與丙交也

甄權曰得酒良炒黃用

時珍曰宿根深冬生苗作叢肥莖絲葉五六月開花如蛇牀花而色黃結子大如麥粒輕而有細稜俗呼為大茴香今惟以寧夏出者第一其他處小者謂之小茴香自番舶來者實大如柏實裂成八瓣一瓣一核大如豆黃褐色有仁味更甜俗呼舶茴香又曰八角茴香小茴香性平理氣開胃夏月祛蠅辟臭食料宜之大茴香性熱多食傷目發瘡食料不宜○啓益 按大小茴香古來

不分其性効多一方中合用大茴香其氣酷烈其性熱小茴香其氣和緩其性平俱治疝氣開胃進食通大小便須分病之緩急而治之大小茴香俱香氣氣郁病人虚弱婦人小兒多不任酷烈臭香宜斟酌多寡可也大茴香自唐來　本邦無此物藥肆所販多將鼠莽實半裁飾僞宜擇之鼠莽有大毒勿用

藁本　本經 中品

本經曰辛温無毒○別録曰微寒○甄權曰微温○元素曰氣温味苦大辛氣厚味薄升也陽也足太陽本經

藥〇之才曰惡蘭茹畏青葙子

本經曰主婦人疝瘕陰中寒腫痛腹中急除風頭痛長肌膚悅顔色〇別録曰辟霧露潤澤療風邪軃曳金瘡可作沐藥面脂〇甄權曰治一百六十種惡風鬼疰流入腰痛冷能化小便通血去頭風黯皰〇大明曰治皮膚疵皯酒皻粉刺癇痍〇元素曰治太陽頭痛巔頂痛大寒犯腦痛連齒頬〇東垣曰治頭面身體皮膚風濕〇好古曰督脉為病脊強而厥非此無治〇時珍曰治癰疽排膿內塞〇閒見録曰夏英公病泄大醫以虛治

不効霍翁曰風客干胃也飲以藁本湯而止蓋藁本能
去風濕故耳○仲淳曰與羌活細辛川芎葱白同用治
寒邪欝於太陽經頭項痛非此不能除○蕭京曰真藏
中風陰經經中寒骨痿如痺陽衰陰勝水邪似濕者而
誤用之既已竭其營而復泄其衛真氣隨亡何待故凡
病久者葱白生薑亦所忌用至辛散耗氣劑益不敢輕
投矣

常山　本經下品

本經曰苦寒有毒○別録曰辛微寒○甄權曰苦有小

毒○大明曰忌葱及菘伏砒石
本經曰主傷寒寒熱溫瘧鬼毒胸中痰結吐逆○別録
曰療鬼蠱往來水脹洒洒惡寒鼠瘻○甄權曰治諸瘧
吐痰涎治項下瘤癭○仲淳曰治山嵐瘴氣作瘧百藥
不効及三十年老瘧積年久瘧與砂仁檳榔芩連同用
其効如神爲末和雞子清丸服亦良○丹溪曰性暴悍
善驅逐痰滯能傷真氣病人稍近虚怯不可用

烏梅　本經　中品

本經曰酸温平濇無毒○東垣曰寒忌猪肉

本經曰主下氣除熱煩滿安心止肢體痛偏枯不仁死肌去青黒瘀蝕惡肉○別録曰去痺利筋脉止下痢好唾口乾○弘景曰治傷寒煩熱○藏器曰止渴調中去痰止吐逆霍亂○大明曰治虚勞骨蒸消酒毒令人得眠和建茶乾薑爲丸服止休息痢大驗治瘴瘧○時珍曰斂肺澀腸止久嗽瀉痢反胃噎膈殺蟲解魚毒○千金方曰酒服治猘犬傷毒○李樓奇方曰和魚鮓封之治指頭腫毒痛甚者○仲景曰治蚘厥烏梅丸與細辛附子人參桔梗黄蘗當歸蜀椒黄連乾薑同作丸其効

如神○時珍曰烏梅白梅所主諸病皆取其酸收之義惟仲景治蚘厥烏梅丸及蟲䘌方中用者取蟲得酸即止之義稍有不同耳○醫說曰曾魯公痢血百餘日國醫不能療陳應之用鹽水梅肉一枚研爛合臘茶入醋服之一啜而安又與胡黃連竈下土等分為末茶調下亦効蓋血得酸則斂得寒則止得苦則濇故也○簡便方曰楊起臂生一疽膿潰百日方愈中有惡肉突起如蠶豆大月餘不消醫治不効因閱本草得此方用烏梅肉燒存性研傅惡肉上試之一日夜去其大半再上一

曰而平乃知世有奇方如此○仲淳曰梅實過酸不宜多食齒痛及病當發散者咸忌之

茵蔯　本經上品

本經曰苦平微寒無毒○甄權曰苦辛有小毒○大明曰石茵蔯苦涼伏硇砂○元素曰苦甘陰中微陽入足太陽經○仲淳曰入足陽明太陰

本經曰主風濕寒熱邪氣熱結黃疸久服輕身益氣耐老面白悅長年○別錄曰治通身發黃小便不利除頭熱去伏瘕○藏器曰通關節去滯熱傷寒用之○大明

曰治天行時疾熱狂頭痛頭旋風眼痛瘴瘧女人癥瘕并閃損乏絕◯直指方曰與車前子調茶調散治眼熱赤痛◯千金方曰或服或洗治遍身風痒生瘡疥◯宗奭曰仲景傷寒熱甚發黄身面悉黄者用之極効◯好古曰仲景茵蔯巵子大黄湯治濕熱也巵子蘗皮湯治燥熱也如苗澇則濕黄苗旱則燥黄濕則瀉之燥則潤之可也此二藥治陽黄也韓祗和李思訓治陰黄用茵蔯附子湯大抵以茵蔯為君主而佐以大黄附子各隨其寒熱也◯仲淳曰去伏瘕及久服輕身益氣耐老面

自悦長年未省脩事者又茵蔯五苓散總治諸疸妙然蓄血發黄者勿用

金銀花　別録上品

別録曰甘温無毒○甄權曰辛○藏器曰小寒温者非也

別録曰主寒熱身腫久服輕身長年煮汁釀酒飲補虚療風此既益壽可常采服而仙經少用凡易得之草人多不肯為之更求難得者貴遠賤近庸人之情也○甄權曰治腹脹滿能止氣下澼○藏器曰療熱毒血痢水

金銀花

痢○肘后方曰治五種尸注○怪病奇方曰治鬼擊身青作痛○啓益 常治為狐狸山猱所侵而為怪症者用金銀花一味大料濃煎頻服之外以耳松香燒之薰其鼻其効如神○積善堂方曰治一切腫毒不問已潰未潰或初起發熱傳服即効又治五痔諸漏丁瘡便毒喉痺乳蛾○易簡方曰治脚氣作痛為末酒服立瘥○選奇方曰治輕粉毒癰惡瘡不愈搗爛入雄黄煎而薰之○本草新編曰補之性實多于攻攻毒之藥未有不散氣者也而金銀花非惟不散氣且能補氣更善補陰但

少用則補多于攻多用則攻勝于補故攻毒之藥未有善于此者也○仲淳曰單味熬膏小兒服之可稀痘也時珍曰葉莖花功用皆同

菊花 本經上品

本經曰苦平無毒○別錄曰甘○東垣曰苦甘寒可升可降陰中微陽○之才曰朮及枸杞根桑白皮爲使

本經曰主諸風頭眩腫痛目欲脫淚出皮膚死肌惡風濕痺久服利血氣輕身耐老延年○別錄曰療腰痛去來陶陶除胸中煩熱安腸胃利五脈調四肢○甄權曰

治頭目風熱風旋倒地腦骨疼痛身上一切遊風令消
散利血脉◯元素曰養目血去翳膜◯好古曰主肝氣
不足◯大明曰作枕明目◯藏器曰白者染髭髮令黑
和巨勝茯苓蜜丸服之去風眩變白不老益顏色◯簡
便方曰與石膏川芎同茶調治風熱頭痛◯直指方曰
用白菊花與穀精草綠豆皮以乾柹餅粟米泔同煮食
柹治斑痘入目生翳障◯肘后方曰搗汁治疔瘡垂死
者冬月采根◯得効方曰女人陰腫煎湯先熏後洗◯
時珍曰菊春生夏茂秋花冬實備受四氣飽經露霜葉

槁不落花枯不零味兼甘苦性禀平和昔人謂其能除風熱益肝補陰盖不知其得金水之精英尤多能益金水二藏也補水所以制火益金所以平木木平則風息火降則熱除用治諸風頭目其旨深微黃者入金水陰分白者入金水陽分紅者行婦人血分皆可入藥神而明之存乎其人其苗可蔬葉可啜花可餌根實可藥囊之可枕釀之可飲自本至末罔不有効宜乎前賢比之君子神農列之上品隱士采入酒斝騷人餐其落英費長房言九日飲菊酒可以辟不祥神仙傳言康風子朱

嬬子皆以服菊花成仙胡廣久病風羸飲菊潭水多壽菊之貴重如此是豈群芳可伍哉○本草新編曰夫菊得天地至清之氣又後群卉而自芳傲霜而香挹露而葩而花又最耐久是草木之種而欲與松栢同為後凋也豈非長生之物乎但世人不知服食之法徒作茶飲之焉又不識何以修合是棄神丹于草莽可惜也○又曰或疑真菊益齡野菊泄人有之乎曰有之或曰有之而予何以不載也夫菊有野種家種之分其實皆感金水之精英而生者也但家種味甘補多于瀉野菊味苦

瀉多干補欲益精以平肝可用家種欲息風以制火當
用野菊人因本草之書有泄人之語竟棄野菊不用亦
未知野菊之妙除陽明之焰正不可用家菊也

紫菀　本經　中品

本經曰苦温無毒○別録曰辛○甄權曰平○仲淳曰
入手太陰兼入足陽明○之才曰欵冬爲之使惡天雄
瞿麥藁本雷丸遠志畏茵蔯

本經曰主欬逆上氣胸中寒熱結氣去蠱毒痿躄安五
藏○別録曰療欬唾膿血止喘悸五勞體虚補不足小

兒驚癇○甄權曰治尸疰補虛下氣百邪鬼魅○大明曰調中消痰止渴潤膚添骨髓○好古曰益肺氣主息賁○傳信方曰與款冬百部生薑烏梅同治久咳○千金方曰治婦人卒不得小便為末水服○斗門方曰纏喉風喉閉欲死者入喉中取惡涎出即瘥○續醫說曰宋蔡元長苦大便秘國醫用藥不効史載之診脉欲出奇曰請求二十錢元長問何為曰欲市紫菀耳遂以紫菀末之而進須臾大便遂通元長驚奇異詢其故史曰大腸肺之傳送今之秘結無他以肺氣濁耳紫菀能清

肺氣是以通也史之醫名自此大著○仲淳曰觀其能開喉痺取惡涎則辛散之功烈也而其性温肺病咳逆喘嗽皆陰虚肺熱証也不宜專用及多用即用須與天門冬百部麥門冬桑白皮苦寒藥參用則無害矣

鼈甲　本經中品

本經曰鹹平無毒○時珍曰入足厥陰血分之藥○之才曰惡礬石礜石理石

本經曰主心腹癥瘕堅積寒熱去痞疾息肉陰蝕痔核惡肉○別録曰療温瘧血瘕腰痛小兒脇下堅○甄權

曰治宿食痃癖冷塊勞瘦除骨節間勞熱結實壅塞下氣婦人漏下五色下瘀血○大明曰去血氣破惡血墮胎消瘡腫腸癰并撲損瘀血○丹溪曰補陰益氣○梅師方曰治難産○宗奭曰經中不言治勞藥性論言治勞瘦骨熱故虛勞多用之然甚有據但不可過劑耳○仲淳曰姙婦禁用陰虛胃弱泄瀉産後飲食不消不思食及嘔惡等証咸忌之

穿山甲　別錄下品

別錄曰鹹微寒有毒○仲淳曰入足厥陰兼入手足陽

明經
別録曰主五邪驚啼悲傷燒灰酒服○弘景曰療蟻瘻
瘡癩及諸疰疾○大明曰小兒驚邪婦人鬼魅悲泣及
疥癬痔漏○甄權曰治癧瘡○時珍曰除痰瘧寒熱風
痺強直疼痛通經脉○普濟方曰與蛤粉研末酒下治
下痢裏急甚○直指方曰痘瘡變黒者同蛤粉為末加
麝香酒服即發紅色○單驗方曰酒服治乳汁不通○
經驗方曰凡風濕冷痺之証因水濕所致渾身上下強
直不能屈伸痛不可忍者于五積散加穿山甲全蝎○

啓益常治鶴膝風及多年脚膝屈曲拘攣疼痛者用大防風湯或用加味大補湯加穿山甲虎脛骨則其効如神此二物通經脉故使補藥達于足脛者是取虎脛走千里鯪鯉穿山岩之義也○時珍曰古方鮮用近世風瘡瘍科通經下乳用爲要藥蓋此物穴山而居寓水而食出陰入陽能竄經絡達于病所故也○李仲南曰其性專行散中病即止不可過服○仲淳曰癰疽已潰不宜服痘瘡元氣不足不能起發者勿服

桑白皮 本經中品

本經曰甘寒無毒○甄權曰平○元素曰苦酸○大明曰温○東垣曰甘辛寒可升可降陽中陰○好古曰入手太陰經○之才曰續斷桂心麻子為之使

本經曰主傷中五勞六極羸瘦崩中絶脉補虚益氣○別録曰去肺中水氣唾血熱渇水腫腹滿臚脹利水道去寸白蟲可以縫金瘡○甄權曰治肺氣喘滿虚勞客熱頭痛內補不足○孟詵曰利五藏下一切風氣水氣○大明曰調中下氣消痰開胃下食殺腹藏蟲止霍亂吐瀉研汁治小兒天吊驚癇客忤及傅鵞口瘡○錢乙

曰與地骨皮佐甘草粳米治肺氣熱盛欬嗽而後喘面腫身熱○葛洪曰治産後下血酒服則治血露不絶加入少米治消渇尿多○子母秘録曰治重舌○千金方曰烊膠和酒傳石癰堅硬不作膿者○東垣曰甘以固元氣之不足而補虚辛以瀉肺氣之有餘而止嗽○羅天益曰其瀉肺中伏火而補正氣瀉邪所以補正也若肺虚而小便利者不宜用之○時珍曰長于利小水乃實則瀉其子也故肺中有水氣及肺有餘者宜之利大腸降氣散血

別録曰釆無時出土上者旁行者俱有毒勿用

雷斅曰取裏白皮剉焙用忌鐵及鉛

瓜蔞 本經中品

本經曰苦寒無毒○時珍曰味甘不苦○薛己曰甘微苦微寒陽中微陰入手太陰足少陽經○嘉謨曰味厚氣薄屬土有水降也畏牛膝乾漆及附子烏頭惡乾薑使枸杞

別録曰治胸痺悅澤人面○大明曰炒用補虛勞口乾潤心肺治吐血腸風瀉血赤白痢手面皺○時珍曰潤

肺燥降火治咳嗽滌痰結利咽喉止消渴利大腸消癰腫瘡毒○普濟方曰堅齒烏髪治小兒黃疸及酒疸與赤小豆治腸風下血○陳良曰治胞衣不下○姚僧坦曰通乳汁○仲景曰與半夏治胸中痺痛引背喘息短氣○時珍曰仲景治胸痺痛引心背咳唾喘息及結胸滿痛皆用括樓實乃取其甘寒不犯胃氣能降上焦之火使痰氣下降也成無已不知此意乃云苦寒以瀉熱蓋不嘗其味原不苦而隨文傳會爾○丹溪曰治胸痺者以其味甘性潤甘能補肺潤能降氣胸中有痰者乃

肺受火逼失其降下之令今得其緩潤下之助則痰自降宜為治嗽之要藥且又能洗滌胸中垢膩鬱熱為治消渴之神藥也○薛已曰仲景論少陽瘧口渴小柴胡内以此易半夏其能潤肺生津可見

薛已曰其種有二紅而小者為栝蔞黄而大者為瓜蔞天花粉即其根也

天花粉 本經中品

本經曰苦寒無毒○時珍曰其微苦酸微寒

本經曰治消渴身熱煩滿大熱補虛安中續絶傷○別

録曰除腸胃中痼熱八疸身面黄脣乾口燥短氣止小便利通月水○大明曰治熱往時疾通小腸消腫毒乳癰發背痔瘻瘡癬排膿生肌長肉消撲損瘀血、

桃仁 本經 下品

本經曰苦甘平無毒○孫真人曰苦甘辛○弘景曰性冷○孟詵曰温○東垣曰苦重於甘氣薄味厚沈而降陰中之陽手足厥陰血分之藥○薛巳曰可升可降○弘景曰香附子為之使

本經曰治瘀血血閉癥瘕邪氣殺小蟲○別録曰止咳

逆上氣消心下堅硬除卒暴擊血通月水止心腹痛○
元素曰治血結血秘血燥通潤大便破畜血○孟詵曰
殺三蟲又每夜嚼一枚和蜜塗手面良○王燾曰治偏
風癖痃骨蒸療男子陰腫小兒卵癩敷服並佳○葛洪
曰治尸疰鬼疰及卒然心痛下部蟲䘌綿裹上之治婦
人陰癢○宗奭曰與柏子松子火麻仁加黄丹蠟丸治
老人虛秘○東垣曰苦以泄滯血甘以生新血故破凝
血者用之其功有四治熱入血室一也泄腹中滯血二
也除皮膚血熱燥痒三也行皮膚凝滯之血四也○薛

己曰實者宜虛者亦不可也但用滋血補血之劑則自濡潤而無閉結之患○本草彙言曰桃性早花易植而子繁長於發生善行善逐其仁多油而直行血分故前古主瘀血血閉血結血聚積滯不行或產婦惡露留難心腹脹痛或跌撲傷損心腹瘀滯或傷寒太陽隨經瘀熱在裏血蓄或狂或風暑不調飲食停結寒熱爲瘧或婦人經行未盡偶感寒熱邪氣熱入血室譫語見鬼皆從足厥陰肝經受病肝爲藏血之藏此藥苦能泄滯血辛能散結血甘温能通行一身血絡凡一切血敗血阻

爲病專主之也○又曰欲盡物性先察物情如杏爲心
果心主脉杏有脉絡專精於脉矣桃爲肺果肺主毛桃
有膚毛專精於毛矣顧精之所專卽性之所鍾情之所
鍾卽性之所生人苦不知性耳○本草徵要曰破血血
瘀者相宜若用之不當則大傷陰氣
時珍曰行血生用尤妙

杏仁○別録下品

別録曰甘苦温冷利有小毒○丹溪曰熱○元素曰氣
薄味厚濁而沈墜降也陰也入手太陰經○薛己曰陽

中之陰可升可降○之才曰惡黃芩黃芪葛根畏蘘草本經曰治咳逆上氣雷鳴喉痹下氣產乳金瘡寒心賁豚○別録曰驚癎心下煩熱風氣往來時行頭痛解肌消心下急滿痛殺狗毒○甄權曰治腹痹不通發汗主溫病脚氣○元素曰除肺熱治上焦風燥利胸膈氣逆潤大便氣秘消食積散滯氣○好古曰仲景麻黃湯治傷寒氣上喘逆並用之者為利其氣瀉肺解肌也○東垣曰杏仁下喘治氣也桃仁療狂治血也俱治大便秘當分氣血晝則便難行陽氣也夜則便難行陰血也故

虚人年高人便秘不泄者脉浮屬氣用杏仁陳皮脉沈屬血用桃仁陳皮陳皮入肺肺與太腸為表裏為氣之通道故並用陳皮為佐○時珍曰治諸疥瘡消腫去頭面諸風氣皶皰○仲淳曰主産乳金瘡者亦指為風寒所乘者言之無風寒擊襲者不得用

別録曰兩仁者殺人桃仁亦同○仲淳曰雙仁者殺人本經言有毒蓋指此耳

弘景曰以湯漬去皮尖炒黄用桃仁亦同○時珍曰治風寒肺病藥中亦有連皮尖者取其發散也

乳香　別錄上品

別錄曰微温無毒○大明曰辛熱微毒○元素曰苦辛純陽○丹溪曰善竄入手少陰經○仲淳曰氣厚味薄陽也入足太陰兼入足厥陰經

別錄曰薰陸主風水毒腫去惡氣伏尸癮瘮癢毒乳香同功○藏器曰乳香治耳聾中風口噤不語婦人血氣止大腸洩澼療諸瘡令內消能發酒理風冷○大明曰下氣益精補腰膝治腎氣止霍亂衝惡中邪氣心腹痛疰氣○之才曰治不眠○時珍曰消癰腫疽毒托裏護

心定痛伸筋治婦人產難折傷○陳自明曰婦人臨月服之滑胎易產○仲淳曰與沒藥牛膝澤蘭黑豆蒲黃五靈脂延胡索牡丹皮山查同用治產後兒枕痛○楊清叟曰凡人筋不伸者敷藥宜加乳香其性能伸筋○衛生方曰治咽喉腫痛及骨哽水服立效○朱氏經驗方曰治風蟲牙痛與川椒末化蠟作丸塞孔中○山居四要曰治玉莖作腫痛與葱白同搗傳之○仲淳曰入一切膏藥能消毒止痛又曰癰疽已潰不宜服諸瘡膿多時未宜遽用

嘉謨曰若合丸散羅細和入倘煎湯液臨熟加調良

没藥　開寶本草

味厚陰也降也入足厥陰經

開寶曰苦平無毒○仲淳曰平應作辛氣應微寒氣薄

開寶曰主破血止痛療金瘡杖瘡諸惡瘡痔漏卒下血

目中翳暈痛膚赤○大明曰破癥瘕宿血損傷瘀血消

腫痛○好古曰心膽虚肝血不足○李珣曰墮胎及産

後心腹血氣痛○圖經曰與虎脛骨酒調治歷節諸風

骨節疼痛者○甄權曰凡金刃所傷打損跌墜馬筋

骨疼痛心腹血瘀者並宜研爛熱酒調服推陳致新能生好血○宗奭曰大槩通滯血血滯則氣壅瘀氣壅瘀則經絡滿急經絡滿急故痛且腫凡打撲踠跌氣血不行瘀壅作腫痛也○時珍曰乳香活血沒藥散血皆能止痛消腫生肌故二藥每每相兼而用○危氏得効方曰治婦人異疾月事退出作禽獸之形欲來傷人先將綿塞陰户乃頓服沒藥末一兩湯下立効○仲淳曰孕婦及血虚者産後惡露去多腹中虚痛者癰疽已潰並不可用

五靈脂 開寶本草

開寶曰甘溫無毒惡人參見之損人○宗奭曰入肝最速也○時珍曰足厥陰引經藥也氣味俱厚陰中之陰故入血分

開寶曰主心腹冷氣小兒五疳癖疾治腸風通利氣脈女子血閉○丹溪曰凡血崩過多者半炒半生酒服能行血止血治血氣刺痛甚効○蘇頌曰療傷冷積○宗奭曰治目中翳此物引經有功不能生血○時珍曰治婦人經水過多赤帶不絕胎前產後血氣諸痛○產寶

方曰酒服治兒枕痛不可忍者加蒲黄頻有効◎金匱鈎玄曰塗之治蟲虺螫蠚蜈蚣蚘蝎諸毒蟲傷◎時珍曰肝經藥也故入血分肝主血諸痛皆屬于木諸蟲皆生于風故此藥能治血病散血和血而止諸痛治驚癇除瘧痢消積化痰療疳殺蟲治血痺血眼諸症皆屬肝經也若局方失笑散不獨治婦人心腹痛血痛凡男女老幼一切心腹脇肋少腹痛疝氣并胎前産后血氣作痛及血崩經溢百藥不效者俱能奏功屢用屢驗真近世神方也◎醫方撰要曰一人舊有一痣偶抓破血出

一線七日不止或用末摻上即止也名血痣

延胡索 開寶本草

開寶曰辛温無毒◯李珣曰苦甘◯東垣曰甘辛温可升可降陰中之陽◯好古曰苦辛純陽浮也入手足太陰經◯時珍曰入手足厥陰經

開寶曰破血婦人月經不調腹中結塊崩中淋露産後諸血病血運暴血衝上因損下血煮酒磨服◯大明曰除風治氣暖腰膝止暴腰痛破癥瘕撲損瘀血落血◯好古曰治心氣小腸痛◯李珣曰散氣治腎氣通經絡

破産後悪露或兒枕與三稜鼈甲大黄為散甚良虫蛀
成末者尤良○錢仲陽曰與苦楝子治小兒小便不通
○泊宅編曰與當歸桂心治氣血凝滯遍身作痛○濟
生方曰與當歸陳皮療婦人血氣刺痛經候不調○時
珍曰活血利氣止痛通小便能行血中氣滞氣中血滞
故專治一身諸痛用之中的妙不可言荊穆王妃胡氏
因食蕎麥麪著怒遂病胃脘痛不可忍醫用吐下行氣
化滯諸藥皆入口即吐不奏功大便三日不通因思雷
公炮炙論云心痛欲死速覓延胡乃以玄胡索末三錢

温酒調下即納入少頃大便行而痛遂止又華老年五十餘病下痢腹痛垂死已備棺木予用此藥三錢米飲服之痛即減十之五調理而安○本草徵要曰性走而不守惟有開滯者宜之若經事先期虛而崩漏産後血虛而暈萬不可服

紅花　開寶本草

開寶曰辛温無毒○元素曰苦温陰中之陽入手少陰經○好古曰辛而甘苦温肝經血分藥也入酒良

開寶曰主産後血運口噤腹内惡血不盡絞痛胎死腹

中並酒煮服亦主蠱毒○時珍曰活血燥血止痛散腫通經○元素曰入心養血佐當歸生新血○仲淳曰與延胡索當歸生地牛膝赤芍益母川芎治經阻少腹作痛及結塊○丹溪曰多用破留血少用養血○熊氏補遺曰熱病胎死腹中者濃煎和童便熱飲之立下胞衣不下產後血暈並同此法無不立效○養痾漫筆曰徐氏婦病產運已死但胸膈微熱名醫陸氏曰血悶也得紅花數十斤乃可活遂亟購得以大鍋煮湯盛三桶於牕格下舁婦寢其上薰之湯冷再加有頃指動半日蘇

按此亦得唐許胤宗以黄芪防風湯薫王太后風病之法也○仲淳曰本行血之藥也血運解留滯行則止過用能使血行不止而斃

蒲黄 本經上品

本經曰甘平無毒○仲淳曰入手太陽少陰太陰足陽明厥陰經

本經曰治心腹膀胱寒熱利小便止血消瘀血久服輕身益氣力延年神仙○甄權曰治痢血鼻衄吐血尿血瀉血利水道通經脉止女子崩中○大明曰婦人帶下

月候不匀血氣心腹痛妊婦下血墜胎血運血瘕兒枕痛顛撲血悶排膿瘡癤遊風腫毒下乳汁止洩精○時珍曰涼血活血止心腹諸痛○集一方曰日月未滿胎動欲產者蒲黃末二錢井華水服○千金方曰傅重舌生瘡又陰下濕癢傅之即愈○時珍曰手足厥陰血分藥也故能治血治痛生則能行熟則能止與五靈脂同用能治一切心腹諸痛按許叔微本事方云有一士人妻舌忽脹滿口不能出聲摻之比曉乃愈又芝隱方云宋帝欲賞花一夜忽舌腫滿口蔡御醫用蒲黃乾薑末

等分乾搽而愈據此二說則蒲黄之涼血活血可證矣益舌乃心之外候而手厥陰相火乃心之臣使得乾薑是陰陽相濟也○本草新編曰治諸血症最效而治血症中尤効者咯血也咯血者腎火上冲而肺金又燥治腎以止咯血而不兼治肺則咯血不能止蒲黄潤肺經之燥加入六味湯中則一服可以奏功非若他藥加麥門五味子雖亦能止咯而功不能如是之捷○仲淳曰一切勞傷發熱陰虚内熱無瘀血者禁用

地楡 本經中品

本經曰苦微寒無毒○別録曰甘酸○甄權曰平○元素曰微苦氣味俱薄其體沈而降陰中陽也○東垣曰苦酸○仲淳曰入足厥陰少陰手足陽明經○之才曰得髮良惡麥門冬伏丹砂雄黄硫黄

本經曰主婦人乳産痓痛七傷帶下五漏止痛止汗除惡肉療金瘡○別録曰止膿血諸瘻惡瘡熱瘡補絶傷産後内塞可作金瘡膏消酒除渴明目○開寶曰止冷熱痢疳痢○大明曰止吐血鼻衄腸風月經不止血崩産前後諸血病并水瀉○元素曰專主下焦血○東垣

曰治膽氣不足○時珍曰汁釀酒治風痺補腦搗汁塗虎狗蛇蟲傷○仲淳曰佐金銀花鯪鯉甲酒煎治横痃魚口若已成膿更加黄芪白芷主速潰易合去鯪鯉甲并加牛膝木瓜殭蠶黄蘗治下疳陰蝕極効○活法機要曰倍加蒼朮治久病腸風痛痒不止○肘后方曰同鼠尾草治下血不止二十年者若不斷投水漬屋塵飲之○千金方曰漬大指腫痛○仲淳曰九脾胃虚寒作泄白痢久而胃弱胎産虚寒泄瀉血崩脾虚作泄法當禁之

時珍曰止血取上截炒用其稍則能行血

側栢葉　本經上品

本經曰苦微温無毒○甄權曰苦辛澁與酒相宜○蘇頌曰性寒○仲淳曰入足厥陰手足少陰○之才曰瓜子牡蠣桂為之使畏菊花羊蹄諸石及麪麴伏硇霜

別録曰主吐血衂血痢血崩中赤白輕身益氣令人耐寒暑去濕痺生肌○甄權曰治冷風歷節風疼痛止尿血○大明曰灸罯凍瘡焼取汁塗頭黒潤鬢髪○蘇頌曰傳湯火傷止痛滅瘢服之療蠱痢常服殺五臟蟲○

丹溪曰栢屬陰與金善守故采其葉隨月建之方取其
多得月令之氣此補陰之要藥其性多燥久得之大益
脾土以滋其肺○楊氏家藏方曰治中風不省人事得
病之日便此藥可使風退氣和不成廢人○經驗方曰
治小兒洞痢代茶飲○梅師方曰治頭髮不生和麻油
塗之○聖惠方曰治大風癘風眉髮不生蒸晒爲丸服
即生○時珍曰栢性後凋而耐久禀堅凝之質乃多壽
之木所以可入服食道家以之點湯常服元旦以之浸
酒辟邪皆有取於此麝香食之而體香毛女食之而體

輕亦其證驗矣

阿膠 本經上品

本經曰甘平無毒○別録曰微温○元素曰性平味淡氣味俱薄浮而升陽也入手足少陰厥陰經○之才曰得火良山藥為之使畏大黃○蘇頌曰得黃連蠟尤佳

本經曰主心腹內崩勞極洒洒如瘧狀腰腹痛四肢酸疼女子下血安胎久服輕身益氣○別録曰療丈夫小腹痛虛勞羸瘦陰氣不足脚酸不能久立養肝氣○藥性論曰堅筋骨益氣止痢洩○時珍曰治女子血痛血枯

經水不調無子男女一切風病骨節疼痛水氣浮腫肺痿
膿血及癰疽腫毒和血滋陰除風潤燥化痰消肺利小
便調大腸聖藥也○千金方曰與蒲黃生地同治吐血
○聖惠方曰治大衄不止口耳俱出者同蒲黃生地黃
汁煎服○和劑方曰治腸胃氣虛冷熱不調下痢赤白
裏急後重腹痛小便不利同黃連茯苓丸米湯下○時
珍曰阿膠大要只是補血與液故清肺益陰而治諸證
按陳自明云補虛用牛皮膠去風用驢皮膠成無已云
陰不足者補之以味阿膠之甘以補陰血楊士瀛曰凡

治喘嗽不論肺虚肺實可下可温須用阿膠以安肺潤
肺其性和平為肺經要藥小兒驚風後瞳人不正者以
阿膠倍人參煎服最良阿膠育神人參益氣也又痢疾
多因傷暑伏熱而成阿膠乃大腸之要藥有熱毒留滯
者則能疎導無熱毒留滯者則能平安數説足以發明
阿膠之藴矣○仲淳曰其氣味雖和平然性黏膩胃弱
作嘔吐者脾虚食不消者共勿服
仲淳曰多雜以牛馬皮舊革鞍靴之類僞造其氣濁穢
不堪入藥當以光如瑿漆色帶油緑者為真真者折之

即斷亦不至作臭氣夏月亦不甚濕軟也

益母 本經上品

本經曰子辛甘微温無毒○藏器曰莖寒○時珍曰莖葉味辛微苦花味苦甘根味甘並無毒○仲淳曰微寒入手足厥陰經○鏡源曰制硫黄雌黄砒霜

本經曰子明目益精除水氣久服輕身莖癮疹可作湯浴○蘇恭曰莖主浮腫下水消惡毒丁腫乳癰丹遊等毒併傅之又主子死腹中及産後血脹悶滴耳中主聤耳搗傅蛇虺毒○藏器曰入面藥令人光澤治粉刺○

時珍曰活血破血調經解毒治胎漏產難胎衣不下血運血風血痛崩中漏下尿血瀉血疳痢痔疾打撲內損瘀血大小便不通○仲淳曰君四物湯與杜仲阿膠續斷同為丸安胎止痛及調經行不順又曰與生甘菊蒼耳金銀花紫花地丁各一握貝母鼠黏子白芷殭蠶白及白斂生甘草連翹生地各三錢熬夏枯草汁和藥同煎濃頻飲之消一切疔腫發背及無名腫毒○時珍曰益母草之根莖花實並皆入藥可同用若治手足厥陰血分風熱明目益精調女人經脈則單用茺蔚子為良

若治腫毒瘡瘍消水行血婦人胎産諸病則宜并用爲良益其根莖花葉專于行而子則行中有補也○本草新編曰其名益母于婦人不淺然不佐之歸芎参朮單味未能取勝前人言其胎前無滯産後無虚謂其行中有補也但益母草實非補物止能佐補藥以收功亦不宜多用○仲淳曰益母辛甘爲陽故性善行走能行通經血崩禁用瞳子散大禁用惟熱血欲貫瞳人者與凉血藥同用則不忌

大明曰苗莖葉根多同效

艾葉　別録 中品

別録曰苦微温無毒○蘇恭曰生寒熟熱○元素曰陰中之陽○時珍曰苦而辛生温熟熱可升可降陽也入足太陰厥陰少陰經苦酒香附為之使

別録曰止吐血下痢下部䘌瘡婦人漏血利陰氣生肌肉辟風寒使人有子作煎勿令見風○弘景曰搗汁服止傷血殺蚘蟲○蘇恭曰主衄血下血膿血痢○甄權曰止崩血腸痔血搨金瘡止腹痛安胎苦酒作煎治癬甚良搗汁飲治心腹一切冷氣鬼氣○大明曰治帶下

止霍亂轉筋痢後寒熱○時珍曰温中逐冷除濕○經驗方曰薰之治臁瘡口冷不合○仲景曰有妊娠下血者婦人有漏下者有半産後下血不絶者並宜膠艾湯主之其方同阿膠川芎甘草當歸地黄芍藥用水酒煎服○丹溪曰婦人無子多由血少不能攝精俗醫謂子宫虚冷投以辛熱或服艾葉不知艾性至熱入火灸則氣下行入藥服則氣上行本草止言其温不言其熱世人喜温率多服之久久毒發何嘗歸咎于艾哉予考蘇頌圖經而因默有感焉○時珍曰艾葉生則微苦大辛熟

則微辛大苦生温熟熱純陽也可以取太陽真火可以回垂絶元陽服之則走三陰而逐一切寒濕轉肅殺之氣為融和灸之則透諸經而治百種病邪起沈痾之人為康泰其功亦大矣蘇恭言其生寒蘇頌言其有毒一則見其能止諸血一則見其熱氣上衝遂謂其性寒有毒誤矣蓋不知血隨氣而行氣行則血散熱因久服致火上衝之故爾夫藥以治病中病則止若素有虚寒痼冷婦人濕鬱帶漏之人以艾和歸附諸藥治其病夫何不可而乃妄意求嗣服艾不輟助以辛熱藥性久偏致

使火燥是誰之咎歟於艾何尤艾附丸治心腹少腹諸痛調女人諸病頗有深功膠艾湯治虛痢及妊娠產後下血尤著奇効老人丹田氣弱臍腹畏冷者以熟艾入布袋兜其臍腹妙不可言寒濕脚氣亦宜以此夾入襪内○肘后方曰治鬼擊中惡卒然著人如刀刺狀胸脇腹内㽲痛切刺不可按或即吐血鼻血下血以熟艾如雞子大三枚水煎頓服又治狐惑蟲䘌病人齒無色舌上白或喜睡不知痛痒處或下痢宜急治下部不曉此者但攻其上而下部生蟲食其肛爛見五藏便死也燒

艾於管中熏下部令烟入或少加雄黄更妙○仲淳曰治婦人月事不調血少無熱症者同香附醋浸入四物湯加阿膠枳殼神効又妊娠産後血虚人作痢下血用膠艾湯艾葉阿膠白芍藥人参橘皮甘草胎前加黄芩産後加當歸○仲淳曰禀天地之陽氣以生其氣芳烈純陽焼則熱氣内通筋肉注通筋入骨故灸百病○蘇頌曰近世有單服艾者或用蒸木瓜和丸或作湯空腹飲甚補虚羸然亦有毒發則熱氣上衝狂躁不能禁至攻眼有瘡出血者誠不可妄服也

大棗　本經上品

本經曰甘平無毒○思邈曰甘辛熱滑○東垣曰溫氣味俱厚陽也○薛己曰入足太陰○之才曰殺烏頭附子天雄之毒

本經曰主心腹邪氣安中養脾氣平胃氣通九竅助十二經補少氣少津身中不足大驚四肢重和百藥久服輕身延年○別錄曰補中益氣堅志強力除煩悶療心下懸除腸澼久服不飢神仙○東垣曰和陰陽調營衛生津液○大明曰潤心肺止嗽補五藏治虛損除腸胃

癖氣和光粉燒治癖痢○衍義曰調和胃氣○孫真人曰佐烏梅治傷寒熱病佐葱白治煩悶不眠為膏洗諸瘡久壞○海上方曰與烏梅杏仁治卒心痛○百一撰方曰解椒毒○王燾曰與水銀納入下部治痔瘡○葛洪曰上方治下部蟲癢○　啓益按治疣目以刀削突起疣肉鑿目以作穴填棗肉少許以厚紙貼之二十三日而後開撥之則疣肉隨棗肉而減去一下匝如此六七次則疣根悉盡而好肉自生考諸本草未見有之然其効不可言是天和壬戌之來聘朝鮮醫鄭東里所傳也○成

無已曰邪在營衛者耳以解之故用薑棗以和營衛生發脾胃升騰之氣也○時珍曰素問言棗爲脾之果脾病宜食之謂治病和藥也○大明曰有齒病蟲䘌人不宜啖小兒尤忌與葱并魚同食令人腰腹痛○本草彙言曰方書用大棗入藥者衆今特舉歸脾調中奔豚桂枝四湯者引前人立方用大棗明其培土制水去風木之意經讀本草神農經云大棗安中和百藥則藥藥皆可入用不獨歸脾等四湯已也○啓益顧古方藥劑多加入生薑大棗者此二物調榮衛和陰陽補中益氣協

和百藥解諸毒故衆方皆加之近世　本邦庸醫不達物理謾謂此物味甘濃泥滯胸膈非所宜厭而廢之本邦古來加入生薑大棗者屬病家所爲而不爲醫事病家亦懶惰鹵莽而欠其用是以自爲風習矣嗚呼可歎哉遊于我門者採大棗細剉畜於藥籠中藥藥皆可入用謹莫適從世之風習云

藥籠本草卷之下終

藥籠本草後叙

牛山香君初與余先大夫同侍醫豐東侯當是之時余未亂呻佔畢庠鄉先生馬君時過飲則先大夫使余背誦盛唐諸公之詩以佐酒々酣則扼腕

抵掌相與論醫經方術之事
先大夫輙奇其論以上之君應
對如流愈出愈奇先大夫深服
其才矣居數年侯即世二人者
遂罷仕行君行在西京以術聲
振于輦轂之下吾侯聞之欲聘以致

之君不肯起乃辟君男某列比
歩卒隊長乃来于我君亦来吾
侯厚客之云先大夫已行也嘗故
回廬以隱遵養獨行顧爵祿
不入心蓽門蓬户晏如余已尉員
笈游東都後十數年就辟而西

於此乎得復與君修前誼且
從来矣中間相去二十數年追懷
往事恍乎如夢中而先大夫亦已
逝矣每與君相會道故未嘗不
悽然厚風樹之感矣余於君豈
啻况蒼艾之年先乎以父執故

視猶父也君亦以余爲非昔日之阿蒙遇之甚厚焉屬者著藥籠本草已成眎余余受而讀則藥物一百二十種自赭鞭所鞭以迨唐宋明李諸賢之言悉輯錄之其有謬誤者乃出己所蘊而

引繩排根不遺餘力焉細味之實發前人所未發焉多也吾聞良醫用藥也簡〻斯約〻斯精豈必護博邪雖然非博不可以為約也今此選也得於博而能為約者非邪海内方技之徒能讀而

通之諸家之本草終如無焉則用之救人何病不可霍然起乎君有功斯世界大哉假令先大夫而在盡為之喜且一言也余故承其意敢序以述皆享保己酉之秋

小倉醫官土昌英撰

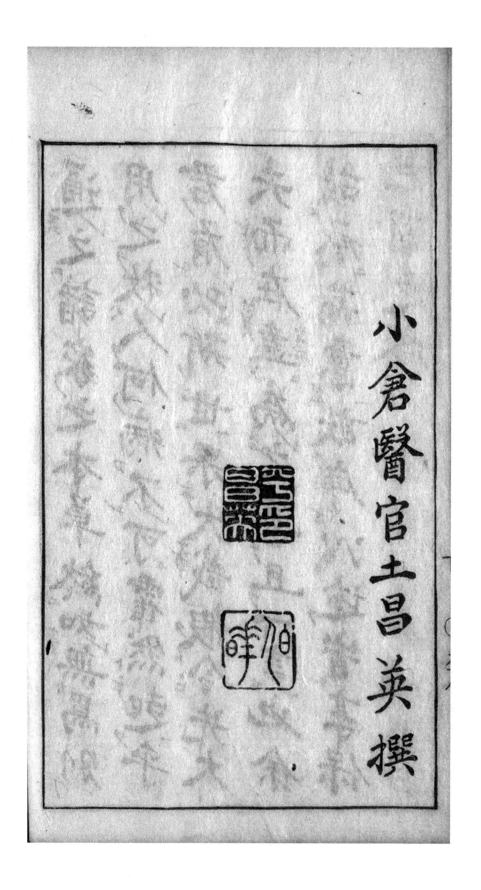

題萬里神交

文章詩賦者中土之事而吾
本邦人豈所能耶方今文明御運
庶績咸熙家握靈蛇人擁隋侯遂
以斯文衡抗聖人之國亦何敢讓
也稱爲君子國者果非虛言也吾

牛山先生視膏肓之瘕驅馳文苑以擅其美矣頃有趙天濱者嘗以醫鳴於呉中航于海來寓崎港先生以其異方人心私嚮焉亦惟其德之謙讓為然遂介於竹林道本師需所著藥籠本草之序趙

醫爲序寄先生贈書及東脩以謝趙醫亦作詩而謝先生復次韻答且示以陽有餘陰不足辨趙醫之作論酬之往復三四予侍于側從而手書遂爲卷名以萬里神交命剞劂氏上梓余惟先生

之門人弟子僑居兩京及四方者幾人乎今欲使其輩無謄寫之勞故有此舉耳趙醫書中曰先生論與愚意默相契合所謂神交者雖在萬里之外氣誼相投因取而名之云享保己酉歲秋八月望長

門府醫官問菴藤道生春林甫揮
筆于豐之醫仙堂塾中

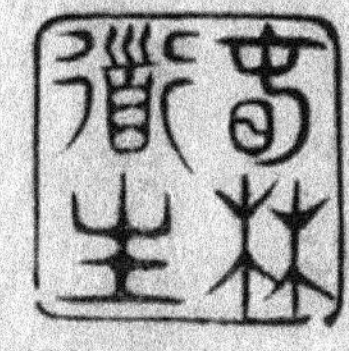

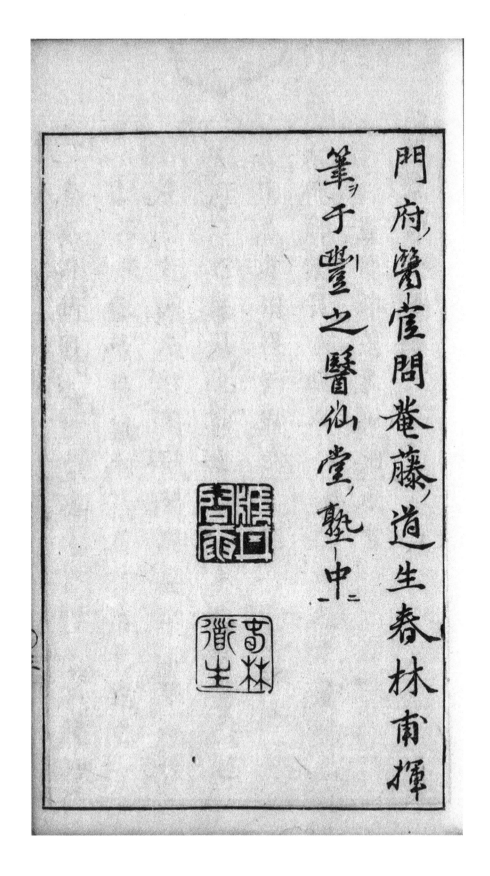

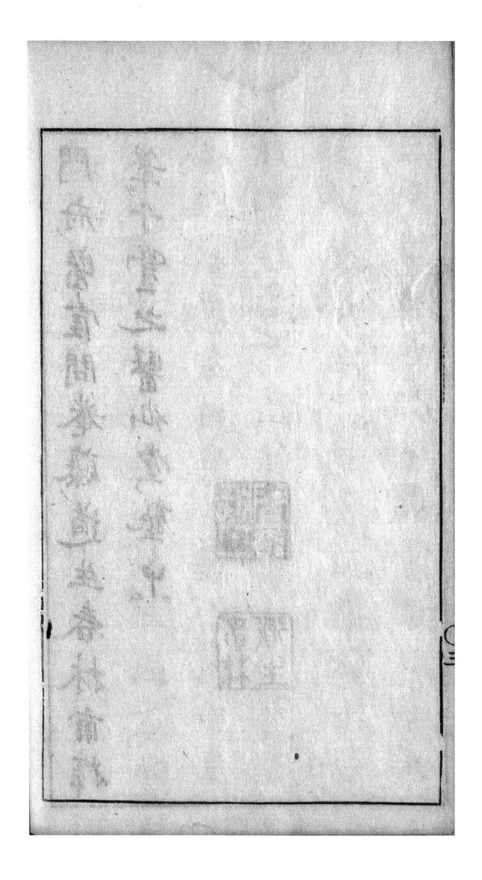

萬里神交
呈竹林道本禪師之書
大禪師震良清福乎　不佞在京之日與嶋本
宗吾者相得而驩則熟聞
大禪師之道風也舊矣　金錫過壽山之
日欲走謁左右因被碍病魔卒不果為快
已　不佞嘗著藥籠本草蓋欲有先達之一
言以證焉固也　貴國良醫　玉峯趙君

来寓崎陽其學也博其術也精焉其人於
大禪師有方外之誼乃因廣壽和尚以煩
大禪師而求 趙君之序以
大禪師之慈恵得遂素願
大禪師愛人之心一何至此也如彼書所謂
兎園册耳得伯樂之一顧價増十倍是
大禪師之賜終身之榮也未知所謝贈趙
君書併致無及浮沈是幸 不侫既老矣天

假數年一得接毫光之未實迷塗之津梁
哉夙夜所願言是已線麪一函日本扇一
柄莞存維祈縷々在廣壽和尚致意

上

蓙亭老大禪師猊下

牛山香月啓益　拜

久聞

老居士以仁術濟世功當不在良相下也曷勝欣羨但未得識荊爲憾耳茲得瑤函下教喜出意外兼賜佳箋索夔拜登謝々所云敝國趙先生才學並優乃吳中高士改業爲醫頗稱國手適尒來游貴國雖救濟病苦衆生亦寄其遨遊豪興耳故所醫者未有不效復高唫暢飲磊落襟懷真神仙中人也與衲弟雅相酬唱爲方

外之交誠如所言故　尊翰到日即袖而
告之彼亦即裁便答札并贈言矣諒亦即
達之左右也無庸衲弟復贅茲具白糖壹
盒聊申謝意肅此奉復并候近祉不宜
牛山老居士大國手
竹林山衲道本拜復
前月某日辱獲瑗答謝審

大禪師衣鉢無恙之狀矣衆生之慶也白糖
壹盒見附歸鄭欽拜　其賜小詩一篇聊
謝垢意覆瓿固其所哉　趙君之報及佳
製併領焉今賡其詩及裁書以復焉若周
旋之為不佞致意
欽謝

竹林老大禪師見惠白糖
勝幢渡海青於藍懷入雲霓未一参禪味

嘗聞若黄蘗頼師識得白糖茸

牛山香月啓益拜

呈趙醫之書

人之相識也非識面之謂識心之謂也何必眉毛相結文酒論心而後稱知已者也不佞嚮聞足下來崎港乃時々翹首西望曰長桑君復

出乎壽域可開乎上池水可飲乎日耿々一日其意未嘗不在鉅鹿也欲一識其面聞其謦咳途阻且長遂無奈之何已　不佞齒既七十有三日暮塗遠百爾嗜好悉廢矣唯讀書之癖欲罷不能讀而至佳境而抄之以備他日之遺忘且欲以門人弟子據之有進焉耳如藥籠本草之作亦是也寧胡在當高明之心哉茲季夏五　蒼亭

老禪師過弊邑也因介之請
足下一言以序之幸得不遐棄而蒙許允辱
手書以賜乃焚香披誦則文章雅馴理義
深遠使人頭風頓愈況乎推與過當榮出
望外不佞聞之昔皇甫謐序三都而非貳
者定矣方今不佞於
足下將有似之乎緊
足下實可比士安而我宜可擬太沖乎使不

俟不朽于千歲者
足下邪彼其知己者果如何哉然則不交臂
一堂以論心亦何傷也感銘何敢忘感銘
何敢忘綳布 一端 弊邑所出以表寸忱希
服之無斁匪敢報德永以爲好臨楮不勝
耿々時氣凄肅萬々自愛
上
玉峯趙先生 九右

牛山香月啓益　拜

前讀藥籠本草知
先生德高望重不勝欽仰序言奉命未能表
揚萬一深愧才疎近接　華翰兼蒙　雅
貺何以克當　弟　寄跡天涯神交萬里情難
過卻拜登之後徒增慚愧而已謝々　尊
庚巳稀古有三尚博覽群書手不釋卷其

所立論遠邁古人良由海邦山川靈秀獨
鍾
先生一人也今稟松鶴之姿具神仙之體天
將其壽世者轉而壽之矣余年亦六十有
五回唐後必有拙刋寄覧以報相知先
上
附俚言一律呈政耑此復
牛山先生　足下

玉峯趙沃濆拜

里言奉贈

牛山先生并祈郢政

牛山耆老古稀三學究軒岐未肯開弘景

前身同相業稚川今日共仙班神交遠隔

雲天外市隱常居世俗間深愧稱揚知未

穪忽蒙佳貺一時領

玉峯趙天潢

崎之與豐相距五百里而遠矣瓊報適旬而到領乃得審起居日者所寄微物辱懇懇以謝且見惠唐律一篇不佞非能詩者然嘗讀困學紀聞曹氏論詩言素問天元紀大論太虛寥郭肇基化元萬物資始五運終天盇古詩之體始於此由是觀之則

詩亦吾醫之一事耳豈宜辭吝耶因賡韻以酬所謂碔砆混玉招笑于大方亦唯不負德也時惟寒威逼人為道自嗇謹答

玉峰趙先生見寄

自愛牛山平旦氣悠々世路信忙閑菲才愧我桑榆景大噐期君鵷鷺班萬里神交飛夢裡一方幽思暮雲閒名高他日攀龍

闕定識夏冰應與頒、

不佞嘗著陽有餘陰不足辨雖似不自訾

也惟丘陵學山之微志也併徃而備電覧

欲折衷可否於

足下請勿恡雌黄

上

玉峯趙先生　几右

牛山香川啓益　拜

陽有餘陰不足辨

客有耽攝生之術者一日過余問曰丹溪先生嘗論陽有餘陰不足乃前人所未發明而後世譚醫者皆以宗之然明張介賓作太寶論反之是亦似有理我未知其何是願聞其說予應之曰夫天地者一元之氣而已矣動靜而為陰陽分散而為萬物陰而陽陽而陰

互相根者也故經云天地者萬物之上下陰陽者血氣之男女左右者陰陽之道路水火者陰陽之徵兆也又云陰勝則陽病陽勝則陰病又云二者不和則猶有春無秋有夏無冬此等語皆陰陽待對之理而偏亢則為疾病令姑舉陰陽之著於物而言焉曰陽者乾也天也日也火也春夏也溫熱也生長也男也氣也曰陰者坤也地也月也水也秋冬也

冷寒也收藏也女也血也又春夏日永則夜短秋冬夜永則日短是人之所皆知瞭然在目也客曰陰陽待對之大意已得聞教丹溪所謂天者大也為陽運地之外地者居天之中日者實也屬陽運月之外月者缺也為陰稟日之光而為明者也然則在天地亦為陽有餘陰不足也不誣也如何予曰天之大以天為其常地之小以小為其常大小相反是

所謂待對之理也輕清為天重濁為地陽者輕清而浮於上故為高大也陰者重濁而凝於下故為形質也於天之高大於地之形質亦自有待對之義也又以日月論之日月者陰陽水火之精榮上而依于天也日者陽之精華而如金丸光耀赫然而自為明也月者陰之精榮而如銀盤虛闇淡然而得日之光為明者也月本陰物無光其光乃日之光也

其盈虧以去日之遠近人在下而觀之不能無盈虧故其光雖有時而有闕其體魄本自滿圓無欠闕豈可以其光之有盈虧為陰不足之證乎丹溪又以人身論云有形之後猶有待於乳哺水穀以養陰氣始成而可與陽氣為配以為人之父母也惟夫人所禀於父母者血與氣也今得乳哺水穀之力而養育氣與血及於男子十六歲女子十四歲而腎

氣始盛陰陽始和故有子令但知乳食之養
其陰血而不知養陽氣者獨何哉故數條之
說皆丹溪之偏見而予之所未曉也吾子其
詳為客又曰今聞子之辨知丹溪之說未盡
善然則張氏駁丹溪者皆為的論乎予踰之
曰介賓及丹溪而立說以陰為有餘以陽為
不足其誤亦同今舉其一二以論之太寶論
所謂一生之活者陽氣也五官五藏之神明

不測者陽氣也及其既死則身冷如冰靈覺
盡滅形固存而氣則去此以陽脫在前而陰
留在後非陰多於陽乎又辨寒熱云凡草木
昆蟲得熱愈繁不熱則不盛寒無生意過寒
則伐盡然則熱無傷而寒可畏此非寒強於
熱乎按此等之說亦未知陰陽之妙用者也
經云陰陽者數之可十推之可百也今血氣
者陰陽也形體者血氣之質也是猶地之質

者即土而涵陰陽載萬物而無所遺也人死則血氣共散而形體暫存張氏見之為陰有餘其意蓋併血氣為陽獨指形體為陰乎是亦猶地也者直謂土而已以不知一氣之通貫焉耳又熱生萬物寒殺萬物是以言寒強於熱為陰有餘之證而不知四時生長收藏之義也蓋春夏溫熱生物秋冬冷寒殺物生者長盛而殺者收藏是陰陽之所為而非待

對之義乎張氏又論辨陽中無太陰陰中無太陽日麗于天此陽中之陽也非太陽乎月之在于天陽中之陰也非少陰乎陰陽之性太者氣剛故曰不可滅水不可竭此曰為火之本水為月之根也此説雖甚似精細亦臆説尤矣按水火者陰陽之徵兆而塞天地具萬物陽之精華在天者為之日陰之華榮見天者為之月何以日為火之本水為月之根

乎蓋天地人身之理若不以陰陽待對論之則必悖聖經之義予今竊按丹溪之意世俗徃々汲々於情慾亂血氣之常陽亢陰虚故以知母黄蘗之類瀉火以地黄當歸之類補水是救時之論也抑至張氏之説雖知苦寒之剤伐其發生以太陽爲太寶且謂無此日輪則天地雖大一寒質耳然則内經之言其謂之何較丹溪之説則其害愈甚矣所謂矯

枉而過直者不可不察夫二公之言垂教之士是豈非智者之一失乎君其歸而取素問熟讀則自然通曉也

月東豐城　貞庵香月啓益牛山甫著

前承雅貺已曾致書奉謝復蒙以陽常有餘陰常不足

高論下領捧讀之餘令人神往去冬即便以
拙作寫就未遑寄獲四月盡本船已到崎
陽即日進館逗留大都在秋間返棹敢將
尊作并鄙論呈
覽但有汚
尊目深愧才踈耳耑此復
上
牛山翁先生大人

玉峯弟趙淞陽頻首

陽有餘陰不足論

易曰大哉乾元萬物資始至哉坤元萬物資生乾坤本一太極也非天無以覆萬物非地無以載萬物上則輕清成象下則重濁凝形故物之生也生于陽而物之成也成于陰天陽地陰月陰日陽火陽水陰而陰中有陽陽

中有陰物々各有太極故曰一陰一陽之為
道也有以清濁言者則天高地厚以上下言
者則天尊地卑以陰陽言者則乾父坤母陽
明喻正士陰柔比小人不過對待之說取而
譬之如乾為馬坤為牛陽為神陰為鬼之類
豈真以天陽為君子地陰為小人乎先天之五
行天一生水地二生火天三生木地四生金
天五生土一與四金水同宮也而五數寓焉

二與三木火並垣也而五數寓焉故土為二下
五之精然水居北方反名坎男陰包陽也火
位南方反名离女陽包陰也人之一身以上
下言則頭為陽足為陰也以前後言則背為
陽腹為陰以臟腑言則腑為陽臟為陰以榮
衛言則氣為陽血為陰陰在內為陽之守陽
在外為陰之使陰陽互相為根從無偏勝故
疾病不少侵或感六淫之邪或遇七情之變諸

病生焉在病機寒病者十之二三熱病者十
之六七是人身中之陰陽因病而使之不和
非本氣有所偏勝也陰陽本一體原無尊卑
貴賤之分天尊地卑可也貴日賤月則不可
也有火無水更不可也况春生夏長秋收冬
藏四時代謝以成一歲而脉則行陽二十五
度行陰亦二十五度共五十度周于身循環
無端日則東升西墮月則晝隱夜見不有兩

露以濡之則萬物枯槁矣徃哲有貴陽賤陰之説便擯無限推敲以致互相詆毀讀書明理者豈竟畧而不講大都師東垣而過則專主升提師丹溪而過則恒投涼潤張介賓本明季通儒真陰一論已見所學獨攻丹溪之短太深未免畫蛇添足丹溪言陽常有餘陰常不足者因燥萬物者莫如火潤萬物者莫如水縱慾之人水虧火旺顴紅唇赤咳嗽氣

促痰中見血脉形細數參朮服之愈甚而更覺不寧萬不得已以清肺滋陰之劑投之畢見稍效明知一水不能勝五火又陰血易虧而難成特立四物湯加黃栢知母此方却未盡善不若熱之不熱是無火也寒之不寒是無水也以六味八味為加減法可謂天經地緯之良方矣內經云陰精所奉其人壽陽精所降其人夭恒見先天腎水充足之人絕少

病患火體内熱者終不永年是其一徴也
先生能去其所短取其所長不以二子之説
印定世人眼目獨將内經之聖訓爲之提綱
挈領與愚意默相契合所謂神交者雖在萬
里之外而氣誼相投恍如晤對即朱張二子
再生斯世亦必頓首謝罪而今而後知
牛山老人不獨造張劉之室直與軒岐對揚
問難得其玄秘擧海内外所稱國手者非

翁而誰耶時

戊申臘月望前一日書於崎陽星溪書屋

玉峯趙天潢淞陽氏識

學書

足下動履亨嘉忻㣿何加蒙喻

足下回唐在秋間恨

足下寓于崎港雖有年所未曾一得交睫握

臂而與聞高論也不佞所著陽有餘陰不足辨電覽之餘作文以見賞與不佞奚敢當佚惟
足下才優學富其結撰誠非尋常作者所能及敬服敬服日本扇雙柄小詩一章欽贐之以致微衷敢充千里之面顏時下殘暑薰加
餐
己酉初秋下浣

上

玉峯趙先生　九右

己酉之秋

趙君將回唐余贈以日本扇及小詩併色于

行

八月高天萬里雲快帆南北指揮分清風不

背鄭公意小扇微涼何足云

貞庵香月牛山書

兼惠佳箋又賜贈別之章種々雅愛何以克
當惟有臨風遙謝而已今依韻奉答以慰離
懷兼祈斧政

極目牛山日暮雲華桑萬里海天分臨行佳
箋遙相贈惠我仁風報所云

呈
牛山翁香月先生

伍峯　弟　趙松陽拜草

享保十九年寅孟春吉日

京六角通御幸町西江入

書肆柳枝軒茨城多左衛門

牛山香月先生著

○巻懐食鏡　一冊

○螢雪餘話　五冊

○醫學鈎玄　三冊

○國字醫藪　未刻

○藥籠本艸　三冊或六冊

特1
1916